LA BIENFAISANCE
ET LES AUMÔNES

SOURCES CHRÉTIENNES

N° 440

CYPRIEN DE CARTHAGE

LA BIENFAISANCE ET LES AUMÔNES

INTRODUCTION, TEXTE CRITIQUE,
TRADUCTION, NOTES ET INDEX

PAR

Michel POIRIER
Professeur honoraire de Première Supérieure
au lycée Henri-IV, Paris

LES ÉDITIONS DU CERF, 29, Bd Latour-Maubourg, Paris 7e
1999

*La publication de cet ouvrage a été préparée avec le concours
de l'Institut des « Sources Chrétiennes »
(UPRES A 5035 du Centre National de la Recherche Scientifique)*

© *Les Éditions du Cerf, 1999*
ISBN : 2-204-06240-5
ISSN : 0750-1978

BIBLIOGRAPHIE

Bible

LXX = *Septuaginta, id est Vetus Testamentum iuxta LXX interpretes, edidit Alfred* RAHLFS, Stuttgart 1965, 2 vol.

TOB = *Traduction œcuménique de la Bible*, Paris 1972 (Nouveau Testament) et 1975 (Ancien Testament).

Vetus Latina. Die reste der altlateinischen Bibel, nach P. Sabatier neu gesammelt und herausgegeben von der Erzabtei Beuron, Fribourg en Brisgau, depuis 1949.

Vg. = *Biblia sacra iuxta Vulgatam Versionem. Recensuit et breui apparatu instruxit Robertus* WEBER *OSB*, Stuttgart 1969, 2 vol.

Cyprien

Ep. = SAINT CYPRIEN, *Correspondance*. Texte établi et traduit par le chanoine Bayard *(CUF)*, Paris 1961-1962, 2 vol.

Les traités sont cités d'après l'édition du *Corpus Christianorum, Series Latina* (vol. III et IIIa de la collection : *Sancti Cypriani episcopi Opera*, Turnhout 1972 et 1976). Le *De habitu uirginum* manque encore dans cette édition ; il est cité d'après l'édition procurée en 1932 par A. Kennan (Washington, Catholic University of America), qui reprend le texte d'Hartel amélioré par quelques corrections de Von Soden.

Vita : pour la *Vita* de Cyprien, du diacre Pontius, voir PELLEGRINO 1955 et BASTIAENSEN 1975.

Auteurs anciens

On se réfère à leur texte dans les grandes collections suivantes :
CCG = *Corpus Christianorum, Series Graeca*, Turnhout.
CCL = *Corpus Christianorum, Series Latina*, Turnhout.
CSEL = *Corpus Scriptorum Ecclesiasticorum Latinorum*, Vienne.
CUF = Collection des Universités de France (collection « Budé »), Paris.
PG = Patrologie grecque.
PL = Patrologie latine.
SC = Sources Chrétiennes, Paris.

Auteurs modernes

ALÈS A. D' 1922, *La théologie de saint Cyprien*, 2ᵉ éd., Paris.
BASTIAENSEN 1975, *Pontii Vita Cypriani*. Testo critico e commento a cura di A.A.R. Bastiaensen, traduzione di Luca Canali (Scrittori greci e latini, Vite dei Santi a cura di Christine Mohrmann), Milan.
BAYARD L. 1902, *Le latin de saint Cyprien*, Paris.
BÉVENOT M. 1961, *The tradition of manuscripts. A study in the transmission of St Cyprian's treatises*, Oxford.
BÉVENOT M. 1971, CYPRIAN, *De Lapsis and De Ecclesiae Catholicae Vnitate*. Text and translation by Maurice Bévenot S.J., Oxford.
Biblia patristica = *Biblia patristica*. Index des citations et des allusions bibliques dans la littérature patristique, t. 1 (Des origines à Clément d'Alexandrie et à Tertullien) Paris 1975 ; t. 2 (Le troisième siècle, Origène excepté) Paris 1977.
BLAISE A. 1954, *Dictionnaire latin-français des Auteurs chrétiens*, Strasbourg.
BLAISE A. 1955, *Manuel du Latin chrétien*, Strasbourg.
BOBERTZ C.A. 1988, *Cyprian of Carthage as patron. A Social Historical Study of the role of Bishop in the Ancient Christian Community of North Africa*, Diss. Yale University.
BORI P.C. 1974, *Chiesa primitiva. L'immagine della communità delle origini (Atti 2, 42-47 ; 4, 32-37) nella storia della chiesa antica*, Brescia.

BOSIO-COVOLO-MARITANO 1991, *Introduzione ai Padri della Chiesa, Secoli II e III,* Turin (Cyprien : p. 177-218).

BRAUN R. 1977, « *Deus christianorum* ». *Recherches sur le vocabulaire doctrinal de Tertullien,* 2e édition, Paris.

CACITTI R. 1991 et 1993, « *"Ad caelestes thesauros".* L'esegesi della pericope del "giovane ricco" nella parenesi di Cipriano di Cartagine », *Aevum* 65, 1991, p. 151-169 et 67, 1993, p. 129-171.

CASEL O. 1932, « λειτουργία-*munus* », *Oriens christianus* 1932, p. 298-302.

CECCON M. 1995, « Note sulla cronologia del *De opere et eleemosynis* di Cipriano di Cartagine », *Quaderni del Dipartimento di filologia, linguistica e tradizione classica* (Università degli studi di Torino), Bologne, p. 135-157.

CHOURAQUI A. 1985, *Bible traduite et présentée par...,* Paris.

Chronica 1986 à ... = « Chronica Tertullianea et Cyprianea », chronique bibliographique paraissant annuellement dans la *Revue des Études Augustiniennes.*

CLARKE G.W. 1984, 1984, 1986, 1989, *The letters of St Cyprian of Carthage.* Traduction anglaise et notes, 4 vol., New York.

Concordance 1986 = CYPRIEN, *traités* : concordance, documentation lexicale et grammaticale, éd. P. Bouet, Ph. Fleury, A. Goulon, M. Zuinghedau, avec la collaboration de P. Dufraigne, 2 vol., Hildesheim-Zurich-New York.

CONNOLLY R.H. 1929, *Didascalia Apostolorum, The Syriac version translated and accompanied by the Verona Latin fragments, with an introduction and notes by R. Hugh Connolly,* Oxford (réimpr. 1962).

DEKKERS E. 1947, *Tertullianus en de geschiedenis der liturgie,* Bruxelles-Amsterdam.

DE JONGE Ed. 1905, *Les clausules métriques dans saint Cyprien,* Louvain-Paris.

DELÉANI S. 1977, « *"Gentiles uiae"* (Cyprien, Lettre 55, 17, 2). Contribution à l'étude du style de saint Cyprien », *Revue des Études Augustiniennes* 23, 1977, p. 221-244.

DELÉANI S. 1979, « *Christum sequi* ». *Étude d'un thème dans l'œuvre de saint Cyprien,* Paris.

DELÉANI S. 1984, « Croissance et progrès spirituel du baptême au royaume selon saint Cyprien », dans *Le Temps chrétien de la fin de l'Antiquité au Moyen Age, IIIe-XIIe siècles,* Paris, p. 327-343.

DUQUENNE L. 1972, *Chronologie des lettres de S. Cyprien. Le dossier de la persécution de Dèce*, Bruxelles.

ERNOUT-THOMAS 1984, *Syntaxe latine*, 2e édition, 6e tirage revu et corrigé, Paris.

FAHEY M.A. 1971, *Cyprian and the Bible. A Study in Third-Century Exegesis*, Tübingen.

FONTAINE J. 1968, *Aspects et problèmes de la prose d'art latine au IIIe siècle ; la genèse des styles chrétiens*, Turin.

FREDOUILLE J.-C. 1989, « Les écrivains et le sacré à Rome », dans *Actes du XIIe Congrès de l'Associatin Guillaume Budé*, Paris, p. 85-115.

FREDOUILLE J.-C. 1992, « Niveau de langue et niveau de style : note sur l'alternance A.c.I./*Quod* dans Cyprien, *Ad Demetrianum* », dans *Mélanges* offerts à Jacques Fontaine, Paris, p. 517-523.

FREDOUILLE J.-C. 1992-2, « Langue latine et théologie d'expression latine (IIe-IIIe siècles) », dans *La langue latine, langue de la philosophie* (Publication de l'École française de Rome), Rome, p. 187-199.

GAGÉ J. 1964, *Les classes sociales dans l'Empire romain*, Paris.

GARRISON R. 1993, *Redemptive Almsgiving in Early Christianity* (*Journal for Study of the New Testament, Supplement Series* 77), Sheffield.

GORCE D. 1958, SAINT CYPRIEN, *Huit traités*. Textes traduits avec introduction et notes par D. Gorce, Namur.

GUTIERREZ A. 1967, « La teologia de la limosna en San Cipriano (*De opere et eleemosynis*) », *Revista Española de Teologia* 27, 1967, p. 19-32.

HAMMAN A.G. 1998 = CYPRIEN, AUGUSTIN, *Partage avec le pauvre :* La Bienfaisance et l'aumône, de Cyprien de Carthage, etc. Introduction, annotation, guide thématique, d'A.-G. Hamman, Paris.

HARL M., DORIVAL G., MUNNICH O. 1988, *La Bible grecque des Septante*, Paris.

HOPPE H. 1903, *Syntax und Stil des Tertullian*, Leipzig.

HOPPE H. 1932, *Beiträge zur Sprache und Kritik Tertullians*, Lund.

LOI V. 1966, « Il verbo latino *uiuificare* », *AION* 7, 1968, p. 105-117.

LOI V. 1969, « Note sulla terminologia battesimale latina », dans *Studia classica et orientalia Antonino Pagliaro oblata*, Rome.

MARA M. 1986, « Richezza e povertà nel cristianesimo primitivo », dans « Disce Paulinum », Studi e Testi paoliniani, Nola, p. 5-18.

MARIN M. 1983, « Problemi di ecdotica ciprianea. Per un'edizione critica dello pseudociprianeo "de aleatoribus" », Vetera christianorum 20, 1983, p. 141-237.

MEMOLI A.C. 1971, Studi sulla formazione della frase in Cipriano, Naples.

MERKI H. 1952, Ὁμοίωσις θεῷ. Von der platonischen Angleitung an Gott zur Gottähnlichkeit bei Gregor von Nyssa, Fribourg (Suisse).

MERKX P. 1939, Zur Syntax der Kasus und Tempora in den Traktaten des hl. Cyprian (Latinitas Christianorum Primaeva 9), Nimègue.

MOHRMANN Chr. 1958, 1961, 1965, 1977, Études sur le latin des chrétiens, Rome, t. I-IV.

MOLAGER J. 1981, « La prose métrique de Cyprien. Ses rapports avec la prose rythmique et le "cursus" », Revue des Études Augustiniennes 27, 1981, p. 226-244.

MOLAGER J. 1982, CYPRIEN DE CARTHAGE, A Donat et La vertu de patience. Introduction, traduction et notes de Jean Molager, SC 291, Paris.

MONAT P. 1982, « Étude sur le texte des citations bibliques dans les "Institutions divines" : la place de Lactance parmi les témoins des "Vieilles Latines" », Revue des Études Augustiniennes 18, 1982, p. 19-32.

MONAT P. 1985, « Les Testimonia bibliques de Cyprien à Lactance », dans Le Monde latin antique et la Bible, Paris, p. 499-507.

MONCEAUX P. 1902, Histoire littéraire de l'Afrique chrétienne des origines jusqu'à l'invasion arabe, vol. 2, Paris.

Monde latin antique et la Bible (Le) 1985 (La Bible de tous les temps 2), J. Fontaine et Ch. Pietri éd., Paris.

MONTGOMERY H. 1988, « Saint Cyprian's Secular Heritage », dans Studies in Ancient History and Numismatics presented to Rudi Thomson, Aarhus, p. 214-223.

MOUSSY Cl. 1966, Gratia et sa famille, Paris.

ORBAN A.P. 1970, Les dénominations du monde chez les premiers auteurs chrétiens, Nimègue.

PELLEGRINO M. 1955, PONZIO, *Vita e martirio di San Cipriano*. Introduzione, testo critico, versione e note a cura di Michele Pellegrino, Alba (Cuneo).

PETITMENGIN P. 1975, « Un monument controversé, le "Saint Cyprien" de Baluze et dom Maran (1726) », *Revue d'Histoire des Textes* 5, 1975, p. 97-136.

PÉTRÉ H. 1948, *Caritas. Étude sur le vocabulaire latin de la charité chrétienne* (*Spicilegium sacrum Lovaniense* 22), Louvain.

POIRIER M. 1975, « Charité individuelle et action sociale, réflexion sur l'emploi du mot *munus* dans le *De opere et eleemosynis* de Cyprien », dans *Studia Patristica* 12, Berlin, p. 254-260.

REBENACK E.V. 1962, *Thasci Caecili Cypriani De opere et eleemosynis*. Introduction, texte d'après Hartel, traduction et commentaire (*Patristic Studies* 94), Washington (USA).

RÉVEILLAUD M. 1964, SAINT CYPRIEN, *L'oraison dominicale*. Texte, traduction et notes par Michel Réveillaud, Paris.

SAGE M. 1975, *Cyprian* (*Patristic Monograph Series* 1), Philadelphie (USA).

SAUMAGNE Ch. 1975, *Saint Cyprien, évêque de Carthage, « pape » d'Afrique*, Paris.

SAXER V. 1969, *Vie liturgique et quotidienne à Carthage vers le milieu du IIIe siècle, le témoignage de saint Cyprien et de ses contemporains d'Afrique*, Cité du Vatican.

SAXER V. 1985, « La Bible chez les Pères latins du IIIe siècle », dans *Le Monde latin antique et la Bible*, p. 339-364.

SCHMIEDT-GREENFIELD 1977, Ταμεῖον καινῆς διαθήκης, *Concordance to the greek New Testament*, Athènes.

SCHRIJNEN J. et MOHRMANN Chr. 1936 (vol. 1) et 1937 (vol. 2), *Studien zur Syntax der Briefe des hl. Cyprian* (*Latinitas Christianorum Primaeva* 5 et 6), Nimègue.

SCHWARTZ 1927 et 1929, *Concilium Vniuersale Ephesenum edidit Eduardus Schwartz*, Berlin et Leipzig, fascicules I,1,2 et I,1,7.

SERPILLI L. 1976, « La proprietà privata in Cipriano di Cartagine », dans *Annali della Facoltà di Lettere e Filosofia dell'Università di Macerata*, t. 9, Padoue, p. 11-23.

SERRA ZANETTI P. 1988, « Osservazioni su Proverbi 19, 17a in Cipriano – Presiedere alla carità », dans *Studi in onore di S.E. Mons. Gilberto Baroni vescovo di Reggio Emilia-Guastalla nel*

75° compleanno, a cura di Enrico Mazza e Daniele Gianotti, Gênes, p. 95-101.

SIMONETTI M. 1971, « Note sulla tradizione manoscritta di alcuni trattati di Cipriano », dans *Studi Medievali*, 1971, p. 865-897.

SPANNEUT M. 1969, *Tertullien et les premiers moralistes africains*, Gembloux-Paris (en particulier p. 91-93).

STRITZKY M. VON 1986, « Erwägungen zum Decischen Opfer-befehl und seinen Folgen unter besonderer Berücksichtigung der Beurteilung durch Cyprian », dans *Römische Quartalschrift für christliche Altertumskunde und Kirchengeschichte* 81, p. 1-25, Rome.

TORNATORA A. 1993, « *Diabolus eloquens*, l'Archetipo letterario di un "nuovo" locus a fictione » (Cipriano, *De opere et elee-mosynis* cap. 22), dans *Studi e Materiali di Storia delle Religioni* 59, L'Aquila-Rome, p. 21-34.

TOSO G. 1980, *Opere di San Cipriano*, a cura di Giovanni Toso (traduction italienne de la correspondance et des traités), Turin.

VERMEULEN A.J. 1956, *The semantic development of Gloria in early-Christian Latin* (*Latinitas Christianorum Primaeva* 12), Nimègue.

VILLEY L. 1992, *Soumission : thème et variations aux temps apostoliques, la fonction d'une préposition :* ὑπό, Paris.

VISONA G. 1986, « Povertà, sequela, carità. Orientamenti nel cristianesimo dei primi due secoli », dans « *Per foramen acus* ». *Il cristianesimo antico di fronte alla pericope evangelica del "giovane ricco"*, Milan, p. 3-78.

WARTELLE A. 1987, SAINT JUSTIN, *Apologies*. Introduction, texte critique, traduction, commentaire et index, Paris.

BIBLIOGRAFIA

To comprendre, a cura di Enrico Mazza e Daniele Cannori, Gènova, p. 93-151.

SAVON H. M. 1977, « Nota sulla traduzione traduzione traduzione di alcuni termini di Origine », dans *Studi Medievali*, 1977, p. 663-697.

SERNELLI M. 1966, *Tertulliano: la repentino moralista cristiano*, Introduzione e particolare, p. 37-59.

SIMON Y. M. 1984, 1986, « Evangelium zum Petroleum Orbius», dans *latein und semen bolten unter Geschichten die Vorsorgung der Betrachtung des Cyprian*, Mainz *Romane Quadrigen*, in *Christliche Altertumskunde und Antike gegenüber*, etc. p. 23-86.

TONKIN A. 1979, « Daniela elegand Verborgen Herrania di Origine » Roma : Editore (Origine), *De opere et eleemosyna»*, dans *Studi... sulla... Materiale di storia dans Regions*, Studi, Antifanum, p. 1-114.

STOIC G. 1956, *Opere di San Cypriano*, Bari, « G. Laterza, Testo e traduzione italiana de la correspondance et la signification, Torino.

WINKEL J. A. J. 1980, *The romana destination*, VII dans in *Casu Mediana Christi liturgie, Commentario, Pontificia D'* Minuzie.

VILLA J. 1992, *Translation, dans la traduction, une introduction», suivie de la traduction à une présentation*, Paris.

VROOM V. 1986, *Retorica sociale, catia Ciceroniana nel cristianesimo dei primi due secoli*, dans « Per l'amino storia di Cristianesimo sulla di Franti, alle premesse ermeneutiche di Cipriano vescovo*, Milano, p. 1-51.

WARTIER A. 1990, *Sacra fidelis, Analyses, Introduction, text, critique, traduction, commentaire et index*, Paris.

INTRODUCTION

I. LA DATE ET LES CIRCONSTANCES DU *DE OPERE ET ELEEMOSYNIS*

Rien dans le texte n'oblige à assigner ce traité de l'évêque Cyprien de Carthage à une période précise de son ministère[1]. Il y invite ses fidèles à aider les pauvres, mais ne fait allusion à aucune circonstance particulière qui rendrait plus urgente cette assistance. On a voulu mettre en relation le *De opere et eleemosynis* avec les misères entraînées par la peste qui se mit en 252 à ravager plusieurs provinces de l'Empire, dont l'Afrique, et dont les effets se firent sentir pendant plusieurs années. Le raisonnement se présente avec vraisem-

---

1. Ce ministère a duré presque dix ans, s'il est vrai que, comme on le pense généralement, il a été choisi comme évêque à la fin de 248 ou au début de 249. C'est le 14 septembre 258 qu'il fut décapité, au cours de la persécution de Valérien. Né dans le paganisme, probablement dans les premières années du siècle, il avait exercé à Carthage le métier de professeur de rhétorique (JÉRÔME, *De uiris illustribus* 67) avant de se tourner vers le christianisme dans son âge mûr ; il n'était prêtre que depuis peu, et baptisé depuis peu d'années, lorsqu'il fut appelé à l'épiscopat. ~ Sur la biographie et la chronologie de Cyprien, notamment la chronologie de sa correspondance, on trouvera des auxiliaires précieux dans les travaux de DUQUENNE 1972 et CLARKE (1984 à 1989 ; on lira les p. 12-44 de l'Introduction du premier volume, et pour le reste on se référera aux notes concernant chaque lettre). SAUMAGNE 1975 pose des questions stimulantes, mais ses conclusions sont hasardeuses. MONCEAUX 1902 (p. 201-241) avait mis en forme dans un récit suivi les données contenues dans la *Vita* de Pontius, dans le traité *Ad Donatum* de Cyprien et sa correspondance, dans les *Acta* de son martyre ; ce travail resté utile a servi de point de départ aux débats ultérieurs.

blance, mais on ne lit dans l'œuvre aucun mot qui vienne l'étayer[1].

Ce silence sur les urgences du temps n'a rien d'étonnant. L'analyse du traité montrera que Cyprien fonde ses exhortations non pas sur les besoins des démunis, mais sur la bonté de Dieu à l'égard de tous les hommes, et notamment à l'égard des baptisés retombés dans le péché, à qui la pratique de l'aumône offre un moyen de racheter leurs fautes. Il est beaucoup plus question des besoins des secourants que des besoins des secourus.

Il est également sans intérêt de rapprocher notre opuscule de la *Lettre* 62, qui accompagne l'envoi à des évêques numides de subsides destinés au rachat de chrétiens capturés par des barbares lors d'une razzia. Outre que la date de cette lettre n'est pas vraiment certaine[2], on notera que là ce sont les besoins des secourus qui sont mis en avant, et surtout que la charité des fidèles carthaginois s'est manifestée rapidement, unanimement, de bon cœur et largement[3]. On est loin des réticences et des résistances que Cyprien combat dans son traité.

Cela dit, certaines périodes de l'épiscopat de Cyprien sont évidemment exclues. Le chapitre 15 implique que la riche dame qui y est critiquée vient sans problème à une assemblée cultuelle qui se tient sans entraves ni précautions ; la scène imaginaire du chapitre 22 suppose les mêmes données. On ne peut donc être en temps de persécution. Celle-ci n'est même pas une possibilité proche : il n'en est jamais question, si ce n'est dans la toute dernière phrase, où l'hypothèse

---

1. Voir aussi la note complémentaire 15, p. 190. Nous y relevons un écart assez sensible entre ce que Pontius rapporte des exhortations prononcées par Cyprien à l'époque de la peste, et le passage à première vue parallèle du *De opere et eleemosynis*. Cet écart est aussi une des raisons qui amènent CECCON 1995 à refuser cette période.

2. DUQUENNE 1972, p. 20.

3. *prompte omnes et libenter ac largiter* (*Ep.* 62, 3, 1).

d'une mort dans la persécution est mise en parallèle avec celle d'une fin de vie ordinaire, sans privilège pour l'une ou pour l'autre.

Il est également peu vraisemblable que ce traité date de l'époque où se posait avec acuité le problème de la pénitence et de la réconciliation des *lapsi*, des chrétiens qui avaient, sous une forme explicite ou indirecte, apostasié pendant la persécution de Dèce[1]. L'aumône étant présentée par Cyprien comme le meilleur et presque le seul moyen de purifier des fautes commises après le baptême, on voit mal comment notre texte pourrait ne pas faire allusion à la situation des *lapsi*, si l'on se trouvait à un moment où ils se pressent en grand nombre à la porte et cherchent à obtenir leur réintégration en faisant pénitence par les moyens que leur propose l'Église. C'est pourquoi le traité *De lapsis* n'omet pas, lui, de leur proposer l'aumône et la dépossession en faveur des pauvres (ch. 35) ; le *De opere et eleemosynis*, muet sur le sujet, a certainement été écrit à un moment où le problème ne se posait pas, ou ne se posait plus avec la même acuité. Dans ce second cas, on pourrait même ajouter que cet épisode douloureux des *lapsi* avait amené Cyprien à se préoccuper plus qu'auparavant du problème de la rémission des fautes commises après la régénération baptismale, et qu'il n'est pas étonnant que ce souci marque profondément les premiers chapitres de notre traité.

Dans ces conditions, et compte tenu qu'il s'est passé assez peu de temps[2] entre le début de l'épiscopat de Cyprien et

---

1. Sur cette persécution, née de l'ordre que reçurent au début de 250 tous les habitants de l'empire de participer à des sacrifices aux dieux, on trouve une mise au point dans STRITZKY 1986.
2. Un peu moins ou un peu plus d'une année, pendant laquelle Cyprien a dû affirmer son autorité, contestée par quelques prêtres mécontents de son élection, et s'initier à son métier de pasteur. Il n'est certes pas absolument à exclure que le *De opere* date de cette courte période, où déjà on situe habituellement le *De habitu uirginum*, mais j'ai cependant peine à

le déclenchement de la grande persécution de Dèce en 250, que l'année 251 et le début de 252 ont été occupés par le règlement du sort des *lapsi*, qu'en 252 des menaces de persécution ont accompagné la peste, qu'en 257 commence la

suivre sur ce point REBENACK 1962 (p. 5-16), approuvé par FAHEY 1971 (p. 20), TOSO 1980 (p. 299-301) et TORNATORA 1993 (p. 21). ~ Rebenack refuse de placer notre traité après 250 parce que, selon lui, « la persécution de Dèce ne pouvait avoir manqué de produire un effet purificateur sur les chrétiens » et qu'au contraire le *De opere* nous montre des chrétiens « d'esprit mondain, avares, relâchés ». Sur le second point, il faut faire la part des exagérations du discours d'exhortation morale, et noter que si Cyprien fustige certains riches fidèles, il ne prétend pas que tous se montrent aussi vivement rebelles à la charité. Le premier point n'est qu'une pétition de principe, contredite par la Correspondance, qui montre que les confesseurs les plus héroïques ne sont pas devenus du fait même irréprochables en tout, et par le ch. 25 du *De ecclesiae catholicae unitate*, qui déclare explicitement que la générosité dans la bienfaisance est en miettes. Et après la mort de l'empereur persécuteur Dèce, après l'échec des velléités hostiles de l'empereur Gallus en 252-253, après également la fin de l'épidémie de peste, les communautés chrétiennes ont vraiment repris la vie normale qui apparaît dans l'œuvre. ~ Toso pense que, puisque le *De opere* ne destine apparemment le bénéfice de la bienfaisance chrétienne qu'aux seuls fidèles, tandis que, selon Pontius, Cyprien lors de la peste a étendu cette charité aux païens, le traité est nécessairement antérieur à l'épidémie. Je pense qu'un tel raisonnement ne distingue pas suffisamment des circonstances exceptionnelles, où païens et chrétiens sont victimes ensemble d'un fléau hors du commun, et l'ordinaire de la vie, où la caisse de secours de l'Église a pour bénéficiaires naturels les pauvres de la communauté, après l'épidémie comme avant. ~ Tornatora approuve Rebenack et Toso, sans apporter d'autres arguments. ~ Fahey suit Rebenack. Cette datation, associée à quelques autres, l'amène à imaginer une seconde moitié de l'épiscopat de Cyprien, de 254 à 258, étonnamment peu féconde, car un seul traité, selon lui, le *De bono patientiae*, y trouverait sa place, en 256. Est-ce très vraisemblable ? Mon impression, au contraire, est que dans le *De opere* Cyprien n'est pas seulement en pleine possession de ses moyens littéraires, mais aussi s'exprime avec une assurance tranquille, en évêque dont l'autorité n'est plus contestée dans son Église, et que le ton de l'œuvre correspond bien à une époque où, les crises liées au problème des *lapsi* et aux schismes local et romain une fois surmontées, il est le guide incontesté de l'Afrique chrétienne.

persécution de Valérien, on est conduit, après d'autres[1], à penser que le *De opere et eleemosynis* a été composé dans une période qui peut aller de 253 à 256, sans prétendre cependant à une plus grande précision qui serait arbitraire.

Faut-il faire intervenir dans ce débat la « liste » de Pontius qui, plaçant le *De opere* après l'*Ad Demetrianum* et le *De mortalitate*, deux œuvres qu'on met d'ordinaire en rapport avec la peste et les menaces de persécution de 252, ne contredit pas nos propositions ? On sait que la *Vie de Cyprien*, écrite, assez peu de temps[2] après le martyre du saint, par le diacre Pontius – c'est ainsi que Jérôme nomme l'auteur dans son *De uiris illustribus* –, contient en son chapitre 7 un développement qui, pour montrer que Cyprien a eu raison de se dérober par la fuite à l'arrestation lors de la persécution de Dèce, énumère sous la forme de questions rhétoriques tout le bien qu'un martyre prématuré l'aurait empêché de faire en l'empêchant d'écrire ses traités. Cette énumération est faite d'allusions généralement évidentes au contenu des diverses œuvres.

Mais l'ordre adopté dans cette « liste » est-il chronologique ? On objectera que de toute façon l'information de Pontius, qui de son propre aveu n'a vécu dans l'entourage immédiat de son héros que durant la dernière année de la vie de celui-ci, peut n'être pas pleinement sûre, et qu'il se trompe certainement sur un point : il mentionne deux œuvres qui en réalité – tous les commentateurs en sont d'ac-

---

1. Déjà MONCEAUX 1902, p. 252. SAGE 1975 (p. 381) place *De opere* entre *De mortalitate* (252) et *De bono patientiae* (début 256) d'après la « liste » de Pontius (voir ci-après), mais se décide ensuite plus précisément pour 252/253 parce qu'il met l'opuscule en relation avec la peste. DUQUENNE 1972 (p. 160) propose 253. CECCON 1995 critique comme nous toute datation antérieure à la persécution de Dèce, mais placerait volontiers notre traité dès 251, après *De lapsis* et *De ecclesiae catholicae unitate*.

2. PELLEGRINO 1955, p. 62.

cord – datent d'avant la persécution : *Ad Donatum* et *De habitu uirginum* ! Mais précisément il les mentionne en tête, ce qui semble prouver que, si son désir de fournir une liste complète lui a fait commettre une bévue, ou une tricherie rhétorique, du moins il savait qu'elles se situaient avant les autres et il a respecté la chronologie. Le témoignage de Pontius n'est donc pas à écarter systématiquement.

Un procédé, probablement inconscient, de réécriture utilisé par Cyprien pourrait peut-être confirmer que le *De opere et eleemosynis* a des chances d'être postérieur à l'*Ad Demetrianum*, qui lui-même répond à des circonstances nées de la peste de 252. Comparons en effet les six phrases ou groupes de mots qui suivent :

1a) CICÉRON, *Tusc.* 5, 3 : *humani generis **imbecillitatem fragilitatemque***.

1b) CYPRIEN, *De op.* 1 : ***fragilitatis** humanae **infirmitas** atque **inbecillitas*** (Rebenack avait déjà repéré ce rapprochement, et l'influence possible du texte de Cicéron).

2a) *Isaïe* 2, 9, cité par CYPRIEN, *Ad Dem.* 16 : *Adorauerunt eos quos fecerunt digiti eorum, et **curuatus** est homo et **humiliatus** est uir*.

2b) CYPRIEN, *Ad Dem.* 16, aussitôt après la citation : *Quid te ad falsos deos **humilias** et **inclinas**, quid ante inepta simulacra et figmenta terrena captiuum corpus **incuruas** ?*

3a) CYPRIEN, *Ad Dem.* 16 : *Christo crede, quem **uiuificandis** ac **reparandis** nobis Pater misit*.

3b) CYPRIEN, *De op.* 1 : ***conseruandis** ac **uiuificandis** nobis Pater Filium misit ut **reparare** nos posset*.

Chaque fois que l'on passe d'un texte a) à un texte b), on peut relever la dissociation en b) de deux termes qui étaient en a) coordonnés et l'addition en b) d'un mot nouveau qui vient prendre la place du mot transféré. Or en 1) et 2) la séquence chronologique n'est pas douteuse. Est-il trop

téméraire de supposer la même succession en 3) ? Je ne vois
là rien de plus qu'un indice, mais qui s'ajoute à d'autres.

Le *De opere et eleemosynis* a-t-il été prononcé en tant que
sermon avant d'être diffusé par écrit ? La fréquente intervention des apostrophes « frères très chers » et « frères très
aimés » au cours du texte pourrait le faire penser. Ce n'est
pas décisif, car les lettres destinées à une collectivité, l'Église
de Carthage ou une autre, commencent elles aussi régulièrement ainsi, et lorsqu'elles sont longues, par exemple la
Lettre 43, on trouve la même reprise périodique de l'apostrophe, avec la même variation entre ses deux formes. Il est
vrai que les lettres adressées à toute une communauté, et
c'est le cas de la *Lettre* 43, étaient lues publiquement devant
tous ; on est donc très près du sermon. Et lorsqu'un texte
important de Cyprien était communiqué à un évêque de
petite bourgade africaine, un évêque moins orateur et moins
théologien que son primat, il est vraisemblable qu'il en faisait donner lecture aux fidèles, au moins partiellement, s'il
le jugeait utile à leur édification. Dans la *Lettre* 54 [1], Cyprien
lui-même porte témoignage qu'il a donné lecture publiquement des deux traités, le *De lapsis* et le *De catholicae ecclesiae unitate*, dont il envoie le texte à ses correspondants.
Dans une civilisation où l'écrit est plus cher et rare que dans
la nôtre, la lecture publique est souvent le moyen de diffu-
sion des textes, et la distinction entre les genres oraux et les
genres écrits n'a pas la rigidité que nous lui connaissons
aujourd'hui.

Quoi qu'il en soit, même s'il s'agit d'un sermon qui avait
d'abord été effectivement prononcé, il peut avoir été remanié et augmenté en vue de la publication, notamment dans
sa partie centrale où s'accumulent les confirmations tirées de
l'Écriture. Il est probablement vain de prétendre reconstituer dans le détail cette élaboration.

---

1. *Ep.* 54, 3, 4.

II. LE TITRE ET SA SIGNIFICATION

Dans ce titre le mot *eleemosyna* ne pose guère de problème. Transcrit du mot grec ἐλεημοσύνη, qui signifie « pitié, compassion », et qui apparaît dans les textes avec le poète Callimaque au IIIe siècle avant Jésus-Christ – le mot grec classique est ἔλεος –, il n'est employé en latin, dès Tertullien, qu'avec le sens concret de don charitable, œuvre de miséricorde, aumône, qu'il a pris très rapidement en grec lors de la traduction de la Bible à Alexandrie (traduction dite des Septante), par exemple en *Tobie* 4, 7, un texte que citera Cyprien dans le chapitre 20 du *De opere*. Pour son propre compte Cyprien utilise toujours le mot au pluriel (sauf une seule fois au chapitre 5 dans la présentation d'un texte biblique qui comporte lui-même le mot au singulier), mais il retranscrit fidèlement le singulier des citations bibliques. La traduction par « aumônes » s'impose donc.

Le mot *opus* paraît presque aussi simple. On sait que ce mot banal de la langue latine – il signifie « œuvre, ouvrage » – a servi très tôt dans le latin des chrétiens, là encore dès Tertullien, à désigner les œuvres que Dieu attend du fidèle, et tout particulièrement les œuvres de la charité à l'égard des pauvres [1], ce qu'on appelait encore il y a quelques décennies les « bonnes œuvres ». Lui préférant « bienfaisance », au singulier comme *opere*, on traduira *De opere et eleemosynis* par « Sur la bienfaisance et les aumônes » et on omettra « Sur » dans le titre français.

Il convient pourtant de poursuivre l'examen. Dès les premières lignes du traité, le mot *opus* reparaît sous la forme du verbe apparenté *operari* : « ... les bienfaits divins que pour

---

1. H. Pétré, dans son livre sur *Caritas* (PÉTRÉ 1948) étudie longuement dans le ch. 4 *bona opera* et les expressions synonymes (p. 240-256), puis *opus* (employé sans détermination avec le même sens) et ses dérivés (p. 257-266). Tertullien s'y trouve cité pour *bona opera* et d'autres expressions, mais non pour *opus* seul.

notre salut la libérale et riche bonté de Dieu le Père et du
Christ a mis en œuvre et ne cesse de mettre en œuvre (*ope-
ratus sit et semper operetur*) ». Les mots *opus* et *operari*
ont ici leur sens courant d'« ouvrage » et « accomplir un
ouvrage ». Cet ouvrage accompli par Dieu, ces bienfaits mis
en œuvre par sa bonté, c'est tout simplement le salut de l'humanité pécheresse opéré par l'abaissement du Fils qui
devient homme et par sa mort. Le même mot, ou la même
famille de mots, désigne à la fois la bienfaisance, les « bonnes
œuvres » du chrétien moyen si souvent pécheur, et l'œuvre
essentielle du Dieu sauveur des hommes.

On croyait que le titre voulait dire seulement : la bienfaisance et les aumônes. Il veut dire en même temps, plus dis-
crètement mais tout aussi réellement : l'œuvre salvatrice de
Dieu, et les aumônes. Comment Dieu fait œuvre de salut en
proposant et en commandant aux hommes la pratique des
aumônes, voilà précisément ce qu'expliquent les premiers
chapitres, et tel est aussi, globalement, le sens de l'ouvrage.
C'est cette richesse de sens qu'une unique traduction du
titre ne peut malheureusement restituer pleinement.

Le titre adopté naguère par D. Gorce, « Des œuvres pies
et des aumônes[1] », utilise un vocabulaire désuet qui le rend
pour nous impossible. Il avait cependant le mérite de garder
à la traduction du mot *opus* son ambivalence, car les œuvres
pies sont bien sûr les « bonnes œuvres » qui manifestent la
piété du fidèle, mais aussi les œuvres salvatrices par lesquelles Dieu fait agir sa propre *pietas*, sa bienveillance à
l'égard des hommes. Cyprien recourt deux fois au mot *pietas* avec cette dernière valeur, au chapitre 1 et au chapitre 5.
Notre traduction n'a pas pu suggérer au même point cette
sorte d'écho intérieur au mot *opus*.

Une dernière remarque. Une autre œuvre de Cyprien présente un titre formé de deux noms coordonnés par *et* : *De*

1. GORCE 1958, p. 139.

zelo et liuore, « La jalousie et l'envie ». *Zelus*, mot grec passé dans la langue latine dès l'âge classique (on le lit chez Vitruve) est un mot abstrait de sens plus général, puisqu'il désigne une vive émulation qui peut être selon les contextes connotée positivement (zèle, ardeur) ou négativement (jalousie) ; *liuor* est un mot plus concret qui a désigné d'abord le teint plombé ou blême que peut provoquer un choc, physique ou émotionnel, et qui se voit sur le visage de l'envieux. Dans *De opere et eleemosynis* également le titre fait suivre *opus*, pris au sens plus général d'activité bienfaisante, d'*eleemosynae* plus concret et en quelque sorte technique, au sens d'argent versé pour les pauvres.

On verra donc dans le redoublement de ce titre un effet de variation allant d'un mot de portée générale à quelque chose de plus précis et concret, plutôt qu'un hendiadyn (la traduction « les œuvres de miséricorde » a été proposée). Au demeurant un tel hendiadyn est moins vraisemblable avec le pluriel *eleemosynis* qu'il ne l'aurait été si l'auteur avait utilisé un singulier, et en ce cas *misericordia* de préférence à *eleemosyna*, puisque le latin des chrétiens cherche d'ordinaire des équivalents dans son propre fonds pour rendre les notions théologiques ou morales exprimées en grec par la Bible et par les premières communautés de la nouvelle religion, tandis qu'il recourt plus souvent à des emprunts transcrits du grec pour nommer les réalités institutionnelles ou matérielles[1].

III. LE CONTENU ET LE PLAN

Notre traité n'est pas le seul texte où se marque l'intérêt que l'évêque de Carthage portait au soulagement des misères que provoquaient en ce milieu du IIIᵉ siècle les maladies, les persécutions, les famines, les razzias de bri-

1. MOHRMANN 1958, p. 89.

gands ou d'insoumis, ou simplement le cours ordinaire de la vie sociale. De telles préoccupations se manifestent ailleurs, notamment dans la correspondance. Il s'agit alors d'indications éparses. Ici au contraire est développée une doctrine de l'activité charitable.

Celle-ci trouve son origine et son modèle, selon Cyprien, dans un double don de la miséricorde divine à chacun d'entre nous : le don du salut dans le Christ, par le baptême qui rachète et efface tous nos péchés antérieurs, et l'offre d'un moyen de « laver par des aumônes les souillures de toute sorte que nous contractons ultérieurement » (ch. 1 à 3).

A partir de cette introduction, qui a posé d'emblée les fondements de la doctrine, et qui constitue déjà une première étape de la réflexion, Cyprien conduit son développement selon les autres étapes que voici :

2 : une exhortation à utiliser ce moyen providentiel d'effacer nos transgressions en obéissant aux multiples avertissements des Écritures, anciennes et nouvelles, qui nous prescrivent la miséricorde et l'aumône (ch. 4 à 8).

3 : la réponse à une objection fondée sur la crainte de manquer soi-même à la suite d'une bienfaisance sans limite : « ne crains rien, car ce que tu donnes est donné à Dieu même, est placé en quelque sorte auprès de lui » (ch. 9 à 15).

4 : la réponse à une variante de la même objection, car on craint de laisser ses enfants sans ressources : « tes enfants ne risquent rien, par tes dons tu fais de Dieu leur père » (ch. 16 à 20).

5 : un appel à faire mieux, en faveur du Christ, que ne font les païens en faveur de leurs dieux ou plutôt du diable, lorsqu'ils se ruinent pour les jeux du cirque et de l'amphithéâtre, car le Christ est présent dans les pauvres (ch. 21 à 23).

6 : en conclusion, et sans rupture nette avec la section précédente – l'exhortation du chapitre 24 se situe dans la

droite ligne des arguments du chapitre 23 –, un éloquent appel à imiter l'attitude communautaire de la première génération chrétienne et à se préparer par le dépouillement et le don à rencontrer Dieu dans une mort paisible ou un glorieux martyre (ch. 24 à 26)[1].

On aura remarqué que le lecteur ou l'auditeur est constamment appelé à pratiquer l'aumône et la dépossession[2], mais que les modalités selon lesquelles sa contribution peut parvenir aux nécessiteux ne sont pas indiquées. C'est que les destinataires de l'œuvre sont des chrétiens, assidus aux assemblées de l'Église, au courant de la manière dont celle-ci organise sa charité. Il nous faut nous adresser ailleurs pour satisfaire notre curiosité[3].

On aura remarqué aussi que la doctrine énoncée et justifiée dans les trois premiers chapitres n'est pas directement l'objet d'un examen plus circonstancié ou de justifications plus fines par la suite. Elle sera simplement complétée sur un point : le Christ n'est pas seulement, en son œuvre de salut, à l'origine du commandement de la bienfaisance, il est aussi l'objet de cette bienfaisance, car il est présent en toute personne démunie qui se trouve secourue ou négligée (allu-

1. Le plan proposé par GUTIERREZ 1967 (p. 21) est très proche du nôtre ; il fait cependant commencer la péroraison au ch. 22, et réunit nos deux dernières sections.

2. Que le fidèle soit appelé à la dépossession n'impliquait pas qu'aux yeux des premiers auteurs chrétiens la propriété privée fût illégitime dans la société civile ; l'acte volontaire de dépossession suppose plutôt l'exercice tranquille de ce droit de propriété, et l'affirmation de la destination commune des biens terrestres met en question pour eux l'usage qui en est fait plutôt que sa légitimité. Ce problème de légitimité juridique est absent des réflexions de Cyprien. Poser les questions en des termes trop modernes n'a pu qu'obscurcir les débats du XXe siècle sur le « communisme » des Pères. ~ On trouvera dans CACITTI 1991 (p. 151, n. 3) une bibliographie détaillée sur les positions du christianisme primitif concernant la richesse et la propriété, dans les livres et articles parus depuis cinquante ans. Sur la propriété privée chez Cyprien, voir SERPILLI 1976.

3. Voir p. 53 s., le ch. 8 de cette Introduction.

sion dès le début du chapitre 9, pleine expression au chapitre 23 avec une longue citation d'Évangile).

Pour le reste le but du développement est autre : il s'agit d'exhorter de manière toujours plus vive le fidèle à conformer sa conduite aux principes posés, soit en utilisant des raisons positives (étapes 2 et 6), soit en analysant et réfutant ce qui fonde ses résistances (étapes 3 et 4), soit en combinant les deux démarches (étape 5). La lutte contre les résistances et les objections est ainsi encadrée par des exhortations de caractère positif, et c'est l'impression laissée par ces dernières qui demeure à la fin de l'œuvre.

Il nous reste à examiner comment s'enchaînent et se développent les moments successifs de ces admonestations. Il semble que deux éléments jouent un rôle essentiel dans la manière dont progressent l'argumentation et le texte de Cyprien : l'appel à l'Écriture, et l'exploitation de toutes les valeurs, de toutes les facettes de certains mots importants que cet ancien rhéteur place au centre de sa réflexion. Commençons par ce second élément.

IV. QUELQUES MOTS-CLÉS

On a vu, à propos du titre, comment Cyprien peut prendre en compte en un même moment plusieurs des valeurs possibles d'un même mot de la langue dans laquelle il écrit et pense, le latin. Reprenons l'examen de la manière dont il se sert, au-delà du seul titre, de la plurivalence de la notion d'*opus* pour structurer sa pensée dans les premiers chapitres.

Après le titre, où *opus* désignait la bienfaisance, le verbe *operari* a servi dans le premier chapitre à exprimer l'œuvre salvatrice de Dieu qui, par la descente en humanité et le sang répandu du Fils, restaure une première fois dans le baptême l'homme blessé par son péché, et qui, par le commandement de l'aumône, lui donne un moyen de se purifier des fautes ultérieures.

Apparaît alors [1], dans le second chapitre, le mot *operatio*, d'abord au pluriel et associé à la mention des aumônes *(elee-mosynis atque operationibus iustis)* pour désigner les œuvres de bienfaisance, puis au singulier pour la mise en œuvre de la bienfaisance, qui, sur le modèle du baptême, dispense à celui qui la pratique le pardon de Dieu. Dès lors l'*operatio*-bienfaisance accomplie par les hommes est un prolongement à travers l'humanité de l'*operatio*-mise en œuvre du salut accomplie par Dieu en faveur des hommes. Une fois intro-duit de cette manière, le mot *operatio* ne pourra que rester porteur de cette résonance tout au long du traité, même lorsque le contexte étroit de son utilisation ne met en jeu que son sens matériel et humain d'actes de bienfaisance.

Le mot ne réapparaît pas dans le chapitre 3, qui achève la première étape de la réflexion de Cyprien. Mais l'abondance dans ce chapitre du mot *peccatum*, la reprise de termes pré-sents dans le premier chapitre tels que *uulnus, salutaris, sanare*, renvoient à la nécessité de se prêter à l'*operatio* de Dieu sur nous, et maintiennent le lecteur dans la même mouvance. Et on remarquera que le mot *clementia*, dési-gnant la bonté de Dieu à l'égard de l'humanité blessée, qui a ouvert le chapitre 1 à sa troisième ligne, reparaît pour fer-mer cette première partie trois lignes avant la fin du chapitre 3. L'*operatio*, dans toute l'ampleur de sa signification pluri-valente, est ainsi mise sous le signe de ce que les Pères grecs ont coutume d'appeler la « philanthropie » (φιλανθρωπία) de Dieu, c'est-à-dire, selon l'étymologie, son « amour pour les hommes ».

1. Nous avons laissé provisoirement de côté, à la fin du premier cha-pitre, la reprise du mot *opus*, car il n'a là en lui-même que le sens banal, ce sont les génitifs qui l'accompagnent, *iustitiae* et *misericordiae*, qui spéci-fient qu'il s'agit d'œuvres de bienfaisance.

Cette première et fondamentale étape de la réflexion de Cyprien (ch. 1 à 3), enclose entre deux évocations de la *clementia* divine qui est source de salut pour l'homme pécheur, s'ordonne autour de la polysémie du groupe *opus, operari, operatio*, afin de mieux rattacher à la mise en œuvre de cette *clementia* les œuvres de bienfaisance, *operationes*[1], prescrites aux fidèles.

Le mot *munus*, brièvement apparu au chapitre 1 pour dire que l'incarnation et les souffrances rédemptrices du Fils sont un don de la miséricorde divine et une prise en charge de notre salut par Dieu, est abondamment repris par Cyprien dans la cinquième partie de son traité : la polysémie du mot est alors vraiment ce qui organise la réflexion.

Munus signifie « fonction officielle, office, charge (d'un magistrat) » et en même temps « don, présent que l'on fait, faveur ». Faut-il chercher l'unité de ces deux sens dans l'idée d'un service rendu, officiel et répondant à une obligation de fonction dans le premier cas, personnel et gracieux dans le second ? C'est assez l'impression que donne l'usage classique du mot, même si l'étymologie ne dit pas totalement la même chose[2]. A mi-chemin entre ces deux valeurs, on appelle également *munus* la fourniture volontaire, ou devenue coutumière, d'équipements publics ou de réjouissances par de riches personnages, anciens ou futurs magistrats, à leurs concitoyens[3]. Ajoutons que parmi ces *munera*, les spectacles offerts au peuple tenaient une place importante, et que *munus* a ainsi pris le sens de « jeux (du cirque ou de l'amphithéâtre) », tout particulièrement « combat de gladiateurs ».

1. La valeur exacte de l'épithète *iustae*, appliquée aux *operationes*, sera étudiée ci-dessous, p. 47-48 (ch. 7, « Une théologie de l'aumône »).

2. Selon le dictionnaire étymologique d'ERNOUT et MEILLET, *munus* proviendrait d'une racine indo-européenne signifiant « échanger ». Il s'agirait à l'origine d'un échange réglé par l'usage.

3. Voir GAGÉ 1964, p. 168.

Cyprien joue en virtuose de ces diverses acceptions du mot – il y adjoint un usage chrétien de la première pour désigner l'accomplissement de l'office liturgique[1] – pour structurer sa réflexion dans la cinquième section de son traité. La quatrième section s'est achevée sur une citation de *Tobie*, dans laquelle le mot grec δῶρον (« don ») a été traduit non pas, comme on s'y serait attendu, par *donum*, mais par *munus*[2]. Cyprien reprend alors le mot au bond, et va s'en servir pour mettre en parallèle les dépenses faites par les riches païens pour offrir des jeux somptueux, en présence de l'empereur ou de magistrats et à l'occasion de fêtes païennes (c'est-à-dire de fêtes du diable) dont l'organisation constitue une charge officielle, et les dépenses chichement consenties par les riches chrétiens pour les dons aux pauvres, dons qui se font sous le regard du Christ et qui tiennent une place dans l'accomplissement festif de la charge dont l'Église doit s'acquitter.

La scène grandiose et inquiétante, imaginée par Cyprien[3], où l'on voit le diable venir bondir dans l'assemblée de l'Église et provoquer le Christ en le défiant de produire des donateurs chrétiens qui soient aussi généreux dans leurs dons aux pauvres que les donateurs païens le sont dans l'or-

---

1. On sait que la langue latine des chrétiens, dans les débuts, a hésité entre la traduction de λειτουργία par *munus* et l'emprunt *liturgia*, qui a prévalu (CASEL 1932 ; MOHRMANN 1965, p. 320 et p. 235, n. 16).

2. *Munus* est déjà la traduction de δῶρον pour ce verset de *Tobie* (4, 11) dans l'*Ad Quirinum* (III, 1), ce qui semble indiquer que Cyprien n'a pas choisi *munus* pour en tirer parti rhétoriquement, mais que c'est la présence de *munus* qui lui a suggéré l'orientation de sa section 5. S'il y a eu ici un artifice de l'écrivain, il a peut-être consisté seulement dans le placement des citations de *Tobie* tout à la fin de cette section 4, et le report de la citation du ch. 4 après celle du ch. 14, pour conclure par le verset qui contient *munus* et amorcer ainsi la section suivante.

3. Ch. 22. Sur cette scène, sur la manière dont les diverses valeurs du mot *munus* s'y entrelacent, et sur la dimension sociale, collective, que l'emploi de *munus* confère même à la charité individuelle, on pourra compléter ces trop brèves remarques à l'aide de POIRIER 1975.

ganisation des jeux et des combats de gladiateurs, repose sur la pluralité des sens du mot *munus*, et sur leur affrontement dans un saisissant débat.

V. LE RECOURS À L'ÉCRITURE

Dans les sections 1 et 5, on vient de le voir, la réflexion progresse pour une large part grâce à l'exploitation du riche contenu des mots – et concepts, l'un et l'autre semblant indissolublement liés pour Cyprien – *operatio* et *munus*. Dans les sections 2, 3 et 4, elle progresse surtout par l'enchaînement de citations scripturaires[1].

Celles-ci étaient apparues en fait dès le chapitre 2 : « L'Esprit-Saint parle dans les Écritures, et il dit :... ». Le chapitre 1 s'était ouvert sur l'initiative de Dieu envoyant le Fils pour le salut des hommes ; en vue de ce même salut, les Écritures procèdent d'une autre initiative de Dieu, cette fois en la personne de l'Esprit. Le recours de Cyprien à l'Écriture s'inscrit donc dans la perspective implicite d'une théologie trinitaire du salut proposé aux hommes ; il s'agit là pour lui de beaucoup plus que d'une argumentation rhétorique.

C'est sans doute pour cette raison qu'il ne se soucie jamais de chercher dans l'expérience quotidienne et contemporaine la confirmation des assertions scripturaires : même lorsqu'il affirme dans la section 4 que les enfants de parents appauvris par la bienfaisance ne risquent en aucun cas de mourir de faim, la parole du livre des *Rois* lui suffit (ch. 17).

---

1. Pour une étude détaillée, verset par verset, des citations scripturaires présentes dans toute l'œuvre de Cyprien, on se reportera à FAHEY 1971.

Avant de chercher selon quelle méthode l'enchaînement
des citations d'Écriture fait progresser la pensée et le texte,
il importe de dire quelques mots sur la connaissance qu'a
Cyprien des livres bibliques, et sur le texte qu'il a sous les
yeux au cours de son travail.

Pour ces temps antérieurs d'environ un siècle et demi
au moment où Jérôme se mettra à traduire la Bible d'après
l'hébreu, la connaissance qu'a l'occident latin de l'Écriture dépend entièrement, pour l'Ancien Testament, des versions grecques, plus précisément de la version dite des
Septante[1]. Depuis que les communautés chrétiennes d'Afrique
célèbrent leur liturgie non plus en grec mais en latin, c'est-
à-dire depuis la fin du second siècle, elles utilisent une traduction latine (ou des traductions latines ?) du texte grec des
Septante et du Nouveau Testament. Cyprien a eu à sa disposition la traduction latine dont se servait son Église.

A-t-il utilisé le texte grec ? Rhéteur de profession avant
sa conversion, on voit mal comment il aurait pu ne pas être
initié à la langue grecque. Mais rien non plus, dans ses écrits,
n'indique un recours direct à la Bible grecque ni un travail
personnel de traduction. Des divergences de vocabulaire
entre les textes de l'écrivain Cyprien et ses citations
bibliques, par exemple dans l'emploi respectif de *gloria* et
de *claritas* pour nommer ce que les grecs désignent par
δόξα[2], semblent bien exclure ce travail personnel.

De toute façon, les vieilles traductions latines[3] suivent de
très près le grec, et devant la difficulté de reconstituer, à par-

---

1. L'ouvrage de référence sur la Septante est désormais *La Bible grecque des Septante*, par Marguerite Harl, Gilles Dorival et Olivier Munnich (HARL 1988).
2. Voir la note complémentaire 6, p. 172 s. Nos remarques, au ch. 2 de cette Introduction, sur l'emploi du singulier et du pluriel d'*eleemosyna*, vont dans le même sens.
3. L'Institut de la *Vetus Latina*, à Beuron en Bavière, étudie et publie ce qui reste de ces anciennes versions (voir Bibliographie : *Vetus Latina*).

tir des citations et réutilisations des divers auteurs, un texte
latin de la Bible au III⁰ siècle, même pour la seule Afrique [1],
il est plus sage, pour traiter des rapports de Cyprien avec la
Bible, de prendre appui sur ses citations explicites en latin,
et, pour le reste, sur le texte grec, au plus près duquel nous
essaierons de nous maintenir lorsque nous le citerons en traduction. Se référer au latin de la Vulgate, ou aux Bibles
modernes traduites d'un texte hébreu par endroits fort différent de celui dont ont disposé les auteurs de la Septante,
peut conduire à bien des mécomptes [2].

Il existait à l'époque de Cyprien des florilèges de citations
bibliques réparties par thèmes, pouvant servir d'argumen-
taire dans les débats avec les juifs, voire les païens, ou dans
l'élaboration de catéchèses ou de sermons. On donne souvent à ces florilèges le nom de *Testimonia*. L'œuvre de
Cyprien lui-même comporte deux ouvrages de ce type, l'*Ad
Quirinum* et l'*Ad Fortunatum* ; les sujets traités dans le *De
opere et eleemosynis* correspondent à des chapitres du livre
III de l'*Ad Quirinum*. En établissant l'Index scripturaire
qu'on trouvera à la fin de ce volume, nous avons confronté
les citations et allusions bibliques de notre auteur avec ses
propres florilèges. Ceux qui voudront bien se reporter à
cet index verront que de nombreux passages de la Bible ont
été utilisés par Cyprien, y compris sous forme de citations

1. Pierre Monat démontre dans son étude sur le texte des citations
bibliques dans les *Institutions divines* (MONAT 1982) que les Vieilles
Latines africaines, utilisées notamment par Cyprien et par Lactance, présentent une parenté certaine, mais ne peuvent être ramenées à une unité
parfaite, ni dans leur texte latin, ni même (p. 29) dans le texte grec sous-
jacent.

2. Ceux pour qui le grec est inaccessible trouveront progressivement
une aide précieuse dans la traduction française de la Bible d'Alexandrie
entreprise par l'équipe de Mme Harl. Sont actuellement parus : *Genèse,
Exode, Lévitique, Nombres, Deutéronome, Jésus-Josué, Premier livre des
Règnes*.

explicites, alors qu'ils ne figurent pas dans le recueil *Ad Quirinum*. Il est donc difficile de prétendre que Cyprien n'avait qu'une connaissance peu personnelle de la Bible, à travers des *Testimonia* qu'il aurait trouvés tout faits. La manière dont, dans quatre phrases balancées du chapitre 1, organisées en une période, il associe sans les citer l'inspiration de trois textes bibliques différents, me paraît au surplus prouver le contraire[1].

Lorsque les versets qu'il cite sont déjà dans l'*Ad Quirinum*, les différences entre les deux formes du texte sont minimes, et bien des divergences viennent seulement de ce que les éditeurs modernes n'ont pas choisi la même variante parmi les propositions des manuscrits. Les divergences irréductibles portent sur des conjonctions (par exemple *quoniam* / *quia*) ou des pronoms (par exemple *illos* / *eos*), une seule fois sur deux verbes synonymes (*amat* / *diligit*). Le texte biblique de Cyprien apparaît d'une grande unité, et donc probablement fondé sur une traduction latine déjà bien fixée, même si le respect absolu de sa lettre n'est pas l'objet d'un scrupule religieux : c'est le sens, c'est ce qu'a voulu dire l'Esprit-Saint qui lui importe.

Les Écritures, on l'a dit, n'étaient pas absentes de la section 1 (ch. 1 à 3) ; elles y ont servi à établir que la pratique de l'aumône nous a été donnée comme un moyen de salut et qu'elle efface les fautes que le chrétien ne peut manquer de commettre après son baptême. Le reste du traité développe pour l'essentiel une longue et diverse exhortation à agir selon ce qui vient d'être mis en évidence. Certes, la théologie des premiers chapitres se retrouvera ici et là enrichie de nuances et de compléments précieux, mais cet enrichissement viendra comme par surcroît : ce qui structure le développement des exhortations est à chercher ailleurs.

---

1. Voir la note complémentaire 1, p. 162 s.

La première phrase du chapitre 4 annonce explicitement que l'Écriture fournira la matière de ces exhortations : « Jamais, frères très aimés, les avertissements divins n'ont cessé ni omis de se faire entendre pour appeler toujours et partout dans les saintes Écritures tant anciennes que nouvelles le peuple de Dieu à pratiquer les œuvres de la miséricorde, et pour énoncer les exhortations solennelles de l'Esprit-Saint engageant à faire des aumônes tout homme qui s'instruit en vue du royaume du ciel. » Le programme est clairement énoncé.

Une première vague de tels avertissements occupe la section 2 (ch. 4 à 8). Les références bibliques s'y succèdent dans l'ordre suivant : d'abord l'Ancien Testament, en commençant par *Isaïe*, suivi de textes sapientiaux *(Siracide, Proverbes)* et d'un *Psaume*, avant de terminer par *Daniel* et *Tobie* ; ensuite le Nouveau, un épisode des *Actes* d'abord, puis des préceptes ou interventions du Christ dans les évangiles, *Luc* et *Matthieu* alternant. On remarquera seulement que le chapitre 1 du livre III de l'*Ad Quirinum*, intitulé *De bono operis et misericordiae*, commence de même par *Isaïe* (le texte précis qui fournit les citations de *De opere* 4), poursuit par *Job* et *Tobie*, puis des textes sapientiaux et des *Psaumes*, avant de passer aux évangiles, *Matthieu* puis *Luc*, et aux *Épîtres*. Un certain parallélisme est évident : cette section du *De opere* se présente comme des *Testimonia* commentés. Mais le parallélisme n'est pas total, Cyprien a rejeté ici *Tobie* (représenté par un texte absent de l'*Ad Quirinum*) après les livres sapientiaux et les *Psaumes*, et inauguré le Nouveau Testament par les *Actes*, afin de rapprocher la résurrection de Tabitha du texte tiré de *Tobie* : « L'aumône délivre de la mort ». Le souci littéraire de la transition a joué.

Une seconde vague (section 3, ch. 9 à 15) veut répondre à une objection prévue : « Tu crains, si tu te mets à pratiquer en grand la bienfaisance, que ton patrimoine une fois épuisé par les largesses de cette bienfaisance, tu n'en viennes à être réduit à l'indigence. » La réponse à cette inquiétude, toujours fournie par l'Écriture, sera double : l'homme qui donne au pauvre, l'homme juste ne connaîtra jamais le besoin (ch. 9 et 11), et cette inquiétude repose sur une conception fause de la valeur de l'argent, sur une corruption de l'âme par l'argent (ch. 10 et 12-14). On voit que chaque réponse est donnée en deux fois, en deux développements séparés par une intervention de l'autre réponse. Cette incertitude du plan est masquée rhétoriquement par l'unité qu'introduisent l'anaphore de *metuis*, « tu crains », au début des trois premiers chapitres de la section, et la constance de l'emploi de la seconde personne du singulier jusqu'à la fin, mais elle n'est pas moins réelle.

On s'expliquera un peu mieux cette incertitude si on remarque que dans les chapitres 9 et 10, donc lors de la première énonciation de chaque réponse, toutes les citations de la Bible sont présentes également dans l'*Ad Quirinum*, tandis que sur les dix citations ou allusions évidentes des chapitres 11 à 15, deux seulement sont communes aux deux ouvrages : tout se passe comme si Cyprien avait répondu en deux temps à l'objection, d'abord par un recours à son recueil de *Testimonia*, ensuite sous la forme d'un développement plus autonome, où l'apostrophe se fait plus vive, et l'utilisation de l'Écriture plus souple et plus libre. Et le chapitre 15 pourra conclure ce développement en se dégageant de la réponse directe à l'objection pour exalter la générosité de la veuve aux deux piécettes louée par le Christ dans l'Évangile.

La troisième vague d'avertissements bibliques (section 4, ch. 16 à 20) répond à l'objection tirée de la nécessité où l'on serait de réserver ses biens pour le soin de ses enfants. On y trouve successivement : un rappel de l'obligation de préférer Dieu à sa famille et d'obéir à la prescription de la charité (ch. 16), l'affirmation que Dieu prend lui-même soin de nourrir les enfants de parents qui se sont dépouillés de tout par la bienfaisance, avec pour preuve l'histoire de la veuve qui s'est montrée charitable envers Élie (ch. 17), l'affirmation que, plus on a d'enfants, plus il y a de risque qu'ils commettent de nombreuses fautes que seule la bienfaisance peut racheter (ch. 18), car faire la charité c'est confier son bien à Dieu, et donner ce dernier comme tuteur et vrai père à ses enfants (ch. 19) ; il faut donc, comme Tobie, recommander à ses enfants de pratiquer la justice et l'aumône, car l'aumône « est un trésor de valeur mis en réserve pour le jour du besoin » (ch. 20). Les réaffirmations du précepte (ch. 16 ; 18 ; début de 20) sont suivies à chaque fois du rappel de textes fondant la confiance qu'il faut avoir dans une réponse paternelle de Dieu (ch. 17 ; 19 ; fin de 20).

Les citations bibliques interviennent ici dans l'ordre appelé par la démonstration, ce n'est plus la Bible qui organise le plan : deux textes du Nouveau Testament peuvent encadrer dès le début un texte tiré de l'Ancien, les textes présents dans les *Testimonia* ou absents de ceux-ci alternent sans régularité. On remarquera seulement deux points : le récit de la charité de la veuve de Sarepta envers Élie (ch. 17), si important pour la démonstration, n'est pas dans les *Testimonia*, et Cyprien a su convoquer un texte capital d'après ses seuls souvenirs[1] ; la dernière citation de *Tobie*, au chapitre 20, est là aussi pour introduire le mot *munus*, sur lequel va reposer tout le développement de la section suivante.

On voit donc que les trois sections dont l'argumentation se fonde quasi exclusivement sur l'enchaînement de citations bibliques se présentent très différemment, et que leur dépendance (contenu et structure) à l'égard des *Testimonia* va décroissant au fil de l'œuvre.

---

1. La manière dont il introduit par inadvertance dans ce récit des éléments d'un épisode analogue où intervient Élisée montre qu'il travaille de mémoire.

Les citations de l'Écriture jouent dans les deux dernières sections un rôle beaucoup plus circonscrit, ce qui ne veut pas dire secondaire, car l'une au moins, très longue (elle fait l'essentiel du chapitre 23), donne beaucoup de solennité au rappel de la doctrine selon laquelle le Christ est présent dans chaque pauvre secouru ou repoussé, et que là-dessus sera fondé le jugement que tout chrétien devra affronter. Mais enfin elles ne sont que trois sur un total de six chapitres, et chacune vient seulement illustrer un développement déjà bien engagé. Le recours à l'Écriture ne vient plus ici charpenter l'exhortation, mais l'étayer.

VI. LE DÉPLOIEMENT DE L'ÉLOQUENCE

On ne prétend pas ici présenter une étude détaillée de l'éloquence de Cyprien dans le *De opere et eleemosynis*[1]. Il s'agira avant tout de mettre en lumière comment une certaine organisation rhétorique intervient jusque dans l'ordonnance de l'argumentation et de l'exhortation. On est toujours ici en train de chercher comment l'œuvre progresse de page en page sous l'impulsion de son auteur.

Les deux chapitres précédents de cette introduction ont montré, à propos de l'usage de quelques mots-clés et du recours à l'Écriture, quel rôle structurant ils jouaient pour la réflexion et la mise en texte dans les cinq premières sections de l'œuvre. Et la sixième ? Il semble, précisément,

---

1. Sur la continuité entre Cyprien rhéteur et Cyprien écrivain chrétien, sur ses procédés et sur son talent de styliste, on consultera principalement FONTAINE 1968 (surtout les ch. 5 et 6), MEMOLI 1971 et DELÉANI 1979 (avant tout le ch. 3) ; sur l'influence de la Bible sur le style de Cyprien, DELÉANI 1977, p. 239-243.

que son unité vienne d'abord d'un mouvement oratoire
constamment relancé jusqu'à la dernière phrase et aux derniers mots.

Au début du chapitre 24, *Et idcirco*, « Pour cette raison »,
indique que l'on entre dans une conclusion, sans que le lecteur soit encore averti qu'il s'agit de la conclusion définitive
de l'ouvrage. Et d'ailleurs les deux phrases qui commencent
par « Donnons au Christ... », « Donnons-lui la nourriture... » viennent apparemment conclure seulement par une
exhortation la leçon présentée à l'aide de *Matthieu* 25, 31-
46 par le chapitre 23. C'est la raison pour laquelle nous nous
sommes un moment demandé si ce chapitre 24 ne devrait
pas être rattaché à la section précédente.

Ce qui nous convainc d'en faire le début d'une sixième et
dernière section, c'est que le mouvement oratoire d'exhortation initié par *praebeamus*, « présentons », et les deux
demus, « donnons », se poursuit par des subjonctifs analogues non seulement dans la fin du chapitre, y compris la
citation de l'apôtre Paul, mais encore avec le *Cogitemus*,
« Considérons », qui ouvre le chapitre 25. Malgré l'intervention d'un nouveau thème, celui de la mise en commun
des biens parmi les chrétiens des premiers temps, les deux
chapitres sont étroitement liés par ce débordement d'une
tournure syntaxique signifiante de l'un sur l'autre, et aussi
par la reprise, assurément intentionnelle, du mot *apostolus*
(*Paulo apostolo, sub apostolis*).

Les subjonctifs ne se poursuivent pas après *cogitemus*. Le
relais de la continuité rhétorique est pris alors, *cogitemus*
invitant à se mettre devant les yeux de l'esprit la vie de la
communauté apostolique, par la série des démonstratifs
tunc, tunc, hoc, hoc, sic, qui renvoient chaque fois, en une
sorte d'anaphore, à cet idéal de partage intégral. Et lorsque,
à l'entrée du chapitre 26, le texte quitte le passé des *Actes* et
l'intemporel de la générosité de Dieu dans la nature pour
évoquer l'avenir radieux du royaume éternel, la série des

démonstratifs se trouve reprise une dernière fois sous la forme de l'emphatique *illa*, renforcé par les exclamatifs *quae* et *quam*.

Le dernier chapitre s'achemine alors vers une péroraison de nouveau fortement exhortative, avec le retour du sub-jonctif : *haereant*, et plus loin *certemus, curramus, (ne) tardemus*. Le traité s'achève cependant sur la certitude qu'apportent des futurs de l'indicatif.

Ainsi dans la dernière section la division traditionnelle en chapitres isole des thèmes de réflexion qu'on pourrait considérer séparément. Mais lors de chaque passage d'un chapitre à l'autre il se produit du point de vue de la continuité rhétorique des sortes d'enjambements qui les relient, et la reprise au cœur du dernier chapitre des subjonctifs exhortatifs du chapitre 24 achève de fermer circulairement l'ensemble, sans préjudice bien sûr de l'ouverture finale qu'apportent les futurs de la dernière phrase.

Un trait classique de la littérature d'exhortation, de la littérature « parénétique », se rencontre dans le *De opere et eleemosynis* : le recours, pour présenter la réfutation d'une objection possible, au procédé de l'interlocuteur fictif. Dans un texte jusque-là présenté de manière objective, avec des thèses énoncées à la troisième personne des verbes sans référence à quelque destinataire que ce soit, ou après des phrases qui associent l'auteur et ses auditeurs ou lecteurs dans une même exhortation grâce à la première personne du pluriel, un brusque passage à la seconde personne interpelle, sans autre annonce en général, un interlocuteur imaginaire. Comparé au « nous » dans lequel le lecteur était englobé dans une sorte de complicité avec l'auteur, le « tu » isole le contradicteur et le met à distance, et ne compromet le lecteur que dans la mesure où il accepterait de se découvrir contaminé par les idées réfutées. Cette méthode de présentation est bien attestée chez

Sénèque[1]. Dans la littérature chrétienne, Tertullien l'avait déjà employée. Cyprien n'a donc rien à inventer ici.

Toute la troisième section (ch. 9 à 15) utilise ce procédé. Chaque chapitre s'ouvre sur une phrase à la seconde personne du singulier, et les trois premiers d'entre eux proposent en plus l'anaphore de *metuis*. Si, sur le fond, c'est le recours à l'Écriture qui structure cette section, son unité rhétorique lui vient de la constante présence de l'interlocuteur fictif.

Pratique pour répondre à des objections, le procédé pourrait, on s'y attend, se prolonger dans la section suivante (ch. 16 à 20). En fait Cyprien y renonce dans les chapitres 16 et 17, probablement afin de rompre une continuité rhétorique qui risquerait, outre l'inconvénient né de la monotonie, de masquer le passage à une forme différente de l'objection et à une étape nouvelle de l'exhortation. Mais il y revient dans les chapitres 18 à 20, et marque ainsi jusque dans la grammaire du texte la parenté de fond des deux sections.

Un autre trait, tout différent, de la rhétorique de Cyprien sera mentionné dès cette introduction seulement parce qu'on le retrouve un peu partout dans l'œuvre. Il s'agit de son goût pour les redoublements d'expression[2].

Dans de nombreux cas il s'agit, selon une habitude déjà bien présente chez certains auteurs classiques, d'une simple variation synonymique qui n'ajoute rien au contenu du message, mais donne plus d'ampleur à la phrase, et par là peut-être plus de poids au message même. Ainsi, dans le pre-

---

1. Une page bien connue des *Questions naturelles* sur la folie des expéditions guerrières offre ainsi un remarquable passage du « nous » au « vous » (*Q.N.* V, 18, 8-9).

2. Ce trait du style de Cyprien a été examiné par MEMOLI 1971 (p. 7-60). Il y indique en particulier les origines classiques, notamment Quintilien (p. 7), et bibliques (p. 55 s.) du procédé. Voir aussi DELÉANI 1979, p. 115.

mier chapitre, *larga et copiosa (clementia), coartati.. et.. in angustum conclusi, (fragilitatis humanae) infirmitas atque inbecillitas*. Lorsque les deux mots ou groupes de mots ne sont pas de longueur à peu près égale, il est presque constant que le second soit le plus long. Les occurrences sont si fréquentes qu'on jugera la plupart du temps superflu d'en faire état dans les notes.

Dans d'autres cas la variation, tout en gardant les mêmes effets stylistiques, enrichit aussi le sens. Ainsi en est-il, au chapitre 1, pour *qualis prouidentia illa et quanta clementia est* (double variation *qualis/quanta* et *prouidentia/clementia*) ou encore *iustitiae et misericordiae operibus*. Les mots ainsi coordonnés se complètent, et ce procédé présente comme étroitement associées deux qualifications d'une même réalité.

Sur les clausules métriques, un aspect de l'œuvre dont nous n'avons pas tenté l'examen détaillé, E. De Jonge a écrit jadis un ouvrage portant sur l'ensemble des traités, et qui reste très utile, car si les considérations théoriques sur lesquelles il appuie ses analyses ne sont évidemment plus à jour présentement, son livre fournit un relevé complet (d'après l'édition Hartel) des fins de phrases, avec chaque fois l'indication du schéma prosodique, indépendamment de tout présupposé sur la répartition métrique, en pieds, de ces syllabes [1]. Le matériau se trouve ainsi tenu soigneusement distinct des interprétations, et disponible pour toute recherche nouvelle.

Un sondage modeste, portant sur les fins de chapitres à l'exclusion de celles qu'occupe une citation biblique, est pourtant significatif. Ces vingt clausules sont toutes du type cicéronien le plus classique, c'est-à-dire crétique-trochée, double crétique, enfin double trochée précédé d'un cré-

---

1. DE JONGE 1905, en particulier p. 53-55.

tique[1], et cela sans aucune substitution aux deux pieds
finaux dans treize cas, avec le monnayage d'une seule longue
en deux brèves dans les sept autres cas, enfin aucun pied
condensé (remplacement d'une brève par deux brèves ou
une longue) si ce n'est deux fois dans le crétique précédant
le double trochée final lui-même parfaitement pur. On men-
tionnera encore, seul écart par rapport aux normes considé-
rées comme les plus strictes, que deux des monnayages
d'une longue en deux brèves se situent en fin de mot[2]. Le
rhéteur Cyprien avait effectivement assimilé les leçons de
Cicéron.

1. Soit respectivement :   ⏤́ ⏑ — ⏤́ ⏑
                            ⏤́ ⏑ — ⏤́ ⏑ ⏑̆
                            ⏤́ ⏑ — ⏤́ ⏑   ⏤́ ⏑̆

([1] désigne l'ictus métrique, le temps marqué de chaque pied, à ne pas
confondre avec l'accent de mot). ~ La description des clausules qui voit dans
celles-ci, dans tous les cas, des combinaisons de crétiques et de trochées se
présentent soit à l'état pur, soit sous une forme équivalente (avec la simple
substitution de deux brèves à une longue qui ne change rien à la mesure),
soit enfin sous une forme « condensée » (comme cela est fréquent pour les
iambes et les trochées du théâtre) qui suppose pour le maintien de la mesure
une tricherie articulatoire donnant à deux brèves ou à une longue presque
la rapidité d'émission d'une seule brève, cette description nous paraît la plus
limpide et la plus pertinente (J. DANGEL « Le mot, support de lecture des
clausules cicéroniennes et liviennes », *Revue des Études Latines* 62, 1984,
p. 386-415 ; ID., « Une lecture verbale des clausules latines : essai méthodo-
logique », *l'Information littéraire* 1985, n° 3, p. 114-118). Les descriptions
qui multiplient les types de pieds recensés sans les relier aux crétiques et aux
trochées dont ils sont le substitut équivalent ou condensé donnent des clausules une image moins lisible. ~ L'article de J. Molager sur « La prose
métrique de Cyprien » (MOLAGER 1981) compare du point de vue des clausules les deux traités *Ad Donatum* et *De bono patientiae*.

2. Un second sondage, portant sur les 12 fins de phrase (toujours à l'exclusion des citations bibliques) où, en milieu de chapitre, nous avions été
conduit à sentir une pause et à passer à la ligne dans notre traduction,
confirme ces résultats : 8 clausules totalement pures (crétique-trochée ou
crétique-double trochée), 2 sous une forme équivalente, 2 où un double
trochée parfait est précédé d'un crétique condensé.

VII. UNE THÉOLOGIE DE L'AUMÔNE

Il a bien sûr été impossible de rendre compte du plan et de la progression de l'œuvre, d'analyser le recours à des mots-clés, de faire un bilan des citations d'Écriture et des enchaînements rhétoriques, sans que se mettent en place peu à peu de nombreux éléments d'une théologie de l'aumône. Un exposé plus systématique est possible.

L'évidence qui ressort des premiers chapitres est qu'il n'y a pas pour Cyprien de théologie autonome de l'aumône. Elle dérive tout entière d'une théologie du salut. Celle-ci se fonde très classiquement sur l'envoi du Fils par le Père, et sur la passion, la mort, et la résurrection du Fils fait homme, selon une perspective paulinienne. Cette intervention salvifique, cette *operatio* divine, relève de la *clementia* de Dieu, de sa bonté amie des hommes, et sa mise en œuvre, pour chaque individu particulier, se produit par le baptême, qui le libère du péché et de ses péchés.

Mais la vie ne s'arrête pas le jour de ce baptême donné une seule fois, pas plus que ne s'arrête ce jour-là la capacité qu'a l'homme de pécher. D'où, et c'est là le cœur de la doctrine, une nouvelle démarche de la *clementia* de Dieu, qui offre aux humains des moyens de retrouver le salut baptismal qui a été terni par leurs manquements ultérieurs. Cette démarche consiste à proposer aux hommes, à leur commander même, de répondre à l'*operatio* divine par certains actes. Ces actes, dans des textes antérieurs à Cyprien et chez Cyprien même ailleurs [1], englobent aussi la prière et le jeûne, mais notre traité ne développe que la réflexion sur l'aumône, par laquelle les hommes, imitant l'*operatio* de Dieu en leur faveur, subviennent aux besoins des autres hommes démunis. « Les aumônes ... effacent les fautes » (Pr 15, 27), est-il

---

1. Par exemple *De lapsis* 35. Cf. Tb 12, 8.

rappelé au début du chapitre 2. Le commandement d'avoir
à pratiquer l'aumône est donc une manifestation, en vue de
notre salut, de la *clementia* prévenante de Dieu, ou, pour
parler comme les Grecs, de sa « philanthropie » (φιλανθρωπία), de son amour pour les hommes.

Il suffit de lire le texte de l'épître à *Tite* (3, 4-5) où le mot
φιλανθρωπία apparaît dans le Nouveau Testament pour la
première fois avec cette valeur, pour reconnaître la parenté
de la doctrine de Cyprien sur le salut, que procure la *clementia* divine et qui est conféré par le baptême, avec celle
de ce passage scripturaire, sans que pourtant il soit le moins
du monde imité dans sa littéralité. Voici le texte : « Mais
lorsqu'on a vu paraître la bonté de Dieu, son amour pour
les hommes (φιλανθρωπία), il nous a sauvés non en vertu
d'œuvres conformes à la justice [1] que nous avions accomplies, mais par le bain d'une nouvelle naissance et d'une
rénovation venant de l'Esprit-Saint. » Les traductions
latines rendent ordinairement φιλανθρωπία par *humanitas* [2],
il nous semble cependant que la *clementia* du texte de
Cyprien ne dit rien de substantiellement différent [3].

Ce passage de l'épître à *Tite* peut aider à comprendre plus
exactement un qualificatif fréquemment associé par Cyprien
au mot *operatio*, l'adjectif *iusta*. Lorsqu'il mentionne de

1. Le texte grec dit littéralement : « en vertu d'œuvres *en* justice », ce
que le latin traduit par « en vertu d'œuvres *de* justice », *ex operibus iustitiae*.

2. Pour cela elles se règlent sur l'usage du latin classique. C'est *humanus* et *humanitas* qu'utilise Cicéron pour nommer ce que les grecs dési-
gnaient par φιλάνθρωπος et φιλανθρωπία (PÉTRÉ 1948, p. 201-202).

3. Lorsque JÉRÔME commente ces versets pauliniens (*In Ep. ad Tit.* ad
3, 4) il reproduit *humanitas* dans la citation, mais utilise *clementia* dans le
résumé qu'il en donne ensuite sous sa propre responsabilité. ~ C'est
d'ailleurs le mot φιλανθρωπία qui a été utilisé pour traduire *clementia*
lorsque les premières phrases du *De opere et eleemosynis* ont été invoquées
contre les thèses nestoriennes au concile d'Éphèse en 431 (REBENACK 1962,
p. 25).

« justes œuvres de bienfaisance » (ch. 2), veut-il mettre en
garde contre d'autres œuvres de bienfaisance qui seraient
injustes ? Il n'est nulle part question de cela. La justice de
ces œuvres est constante et générale. S'agit-il d'une justice
distributive qui restaurerait l'usage commun des biens,
voulu à l'origine par Dieu et bafoué par les accaparements
des riches ? On rencontrera cette idée au siècle suivant chez
Ambroise de Milan, elle n'apparaît pas chez Cyprien[1].

Faut-il penser alors que la pratique de la bienfaisance, qui
guérit la blessure des péchés commis après le baptême, est
juste en ce qu'elle est porteuse de justice, justificatrice ?
C'est ici que l'épître à *Tite* nous aide, en dépit (ou à cause)
de la contradiction qu'elle paraît porter à Cyprien : la doctrine paulinienne[2] nie que des œuvres de justice, des *opera
iustitiae* accomplies par l'homme puissent le justifier ; seule
le peut la « philanthropie » de Dieu agissant dans le baptême. En réalité, Cyprien ne pense pas autre chose, mais
pour lui, dans le prolongement du baptême, une *iusta operatio*, une « juste » œuvre de bienfaisance inspirée et com-
mandée par la *clementia* de Dieu peut venir rénover la justification opérée par le baptême. Les œuvres de bienfaisance
sont justes, non pas d'une justice humaine valant par soi,
mais parce qu'elles sont l'émanation de la bonté justifiante
de Dieu, qui se manifeste par le commandement de l'aumône.

Cette perspective admise, Cyprien peut remettre en usage
positif l'expression « œuvres de justice », *opera iustitiae* (*iustitiae et misericordiae operibus*, à la fin du ch. 1), qu'avait
récusée l'Apôtre, sans qu'elle implique sur le fond la doc-

1. Au ch. 25, les biens prodigués par Dieu pour notre usage commun,
avec une générosité que la bienfaisance doit imiter, ne sont pas des biens
susceptibles d'accaparement, mais le soleil, la pluie, le vent.
2. Par cette expression, nous reconnaissons le caractère incontestable-
ment paulinien des thèses de ces versets, sans prendre parti sur le problème
de l'identité du rédacteur de l'épître.

trine, contraire aux écrits pauliniens, d'une justification par les œuvres. Il s'agit d'une justification par l'obéissance à une loi émanant de la bonté du Dieu qui veut sauver, cette obéissance elle-même étant une expression de la foi en Dieu et en sa parole, selon l'analyse faite par Cyprien au chapitre 8. Ainsi se trouve d'avance surmonté le débat, si vif plus tard dans l'Église, sur le rôle respectif de la foi et des œuvres dans la justification. L'accomplissement des œuvres commandées par Dieu pour le salut relève de la foi.

On n'a pas cru devoir proposer pour *iustus* une autre traduction que la plus simple, « juste ». Le lecteur voudra bien garder en sa mémoire la portée qu'il faut lui donner.

Au terme de l'analyse des justifications théologiques de l'*operatio* bienfaisante dans les deux premiers chapitres du *De opere et eleemosynis*, il est possible de remarquer que Dieu *operans* se trouve doublement à la source de *l'operatio* humaine : parce que le commandement de l'aumône constitue un des aspects de la mise en œuvre de la philanthropie divine qui veut notre salut, et parce que l'*opus* des hommes pour le bien de leurs frères présente, à un niveau certes infiniment plus humble, la même nature profonde que l'*opus* de salut opéré par Dieu dans le Christ, dont il est un reflet parmi les hommes, cette parenté de nature étant mise en évidence par l'identité du vocabulaire.

Nous venons d'écrire : Dieu *operans*. Plus précisément, il s'agit du Père, qui envoie le Fils, et du Fils, qui devient fils d'homme pour nous faire fils de Dieu. Mais nous ne devons pas nous arrêter là. Car dès la première citation d'Écriture, qui établit l'efficacité salvatrice de l'aumône, au début du chapitre 2, Cyprien voit dans l'Esprit-Saint l'auteur des Écritures[1]. C'est donc par l'Esprit que nous vient le commandement de pratiquer à notre tour l'*operatio*. La source

---

1. L'idée est reprise au ch. 4, l. 4-5 *(canente atque exhortante Spiritu sancto)* et au ch. 5, l. 11 *(in Psalmis Spiritus sanctus declarat et probat)*.

de celle-ci est ainsi explicitement trinitaire, et l'exhortation par l'Écriture qui va constituer la plus grande partie du traité ne peut se ramener à une exploitation rhétorique de la Bible à des fins parénétiques, elle émane directement d'une des personnes divines.

Dieu est à l'origine de l'aumône et de la bienfaisance. Les apports théologiques disséminés dans la suite du développement vont établir qu'il est aussi au terme, qu'il est le destinataire ultime de l'activité de charité.

On le pressent lorsque Cyprien fait appel, sans cependant indiquer qu'il cite l'Écriture, à un texte bien connu des *Proverbes* : « Qui prend pitié du pauvre prête à Dieu[1]. » L'idée est reprise au chapitre 16 (« Si Dieu est redevable des aumônes versées au pauvre[2]... »), et c'est elle qui fonde l'affirmation que les biens donnés à la bienfaisance sont en réalité mis à l'abri, mis en réserve auprès de Dieu[3]. Ils le sont de deux manières. Au témoignage de l'Écriture, celui qui donne aux pauvres sera à son tour préservé par Dieu de l'indigence et de la faim sur cette terre (ch. 9 et 11), et il en sera de même pour ses enfants, comme le prouve l'épisode biblique de la veuve de Sarepta, qui « n'a pas retiré à ses fils ce qu'elle a donné à Élie » (ch. 17). Mais surtout celui qui prête ainsi à Dieu se ménage dans le ciel les trésors de la vie éternelle : le thème des « trésors du ciel » est traité aux chapitres 7 et 22. Dans ce que nous venons d'évoquer, Dieu agit en quelque sorte comme un garant, comme une caution richissime qui se substitue au débiteur par lui-même

---

1. Ce sont les derniers mots du ch. 15 : *Qui miseretur pauperis Deo faenerat* (Pr 19, 17). Texte de la Septante : δανίζει θεῷ ὁ ἐλεῶν πτωχόν.

2. *Si... Deus eleemosynis pauperum faeneratur* (ch. 16, l. 19-20).

3. « Lorsque notre patrimoine a été confié à Dieu, l'État ne s'en empare pas, le fisc ne se jette pas dessus ... On met un héritage en sécurité quand Dieu est le gardien qui le protège » (ch. 19). « C'est un trésor de valeur que tu mets en réserve pour le jour du besoin » (ch. 20).

insolvable, le pauvre, et qui fait cela avec une libéralité sans borne.

Selon l'Évangile, il faut affirmer beaucoup plus : dans le pauvre, c'est directement Dieu qui est l'objet de l'acte bienfaisant, c'est directement lui qui reçoit. C'est ce que dit le Christ dans *Matthieu* lorsqu'il décrit ce que sera le Jugement dernier, en conclusion de son discours sur la fin des temps (Mt 25, 31-46), et Cyprien a repris tout entier au chapitre 23 ce passage, dont l'essentiel tient en ceci : tout ce qui a été donné, ou refusé, à l'un des plus petits des frères humains du Christ, a été donné, ou refusé, au Christ en personne.

Cette longue citation d'Écriture est comme le couronnement doctrinal de l'œuvre, mais de nombreuses allusions antérieures la préparaient, et montrent que Cyprien savait que ses fidèles n'ignoraient pas le contenu de ce texte, qu'il ne fait que leur rappeler. Ainsi, dès le chapitre 6 : « Pierre comprit.. que le secours du Christ ne manquerait pas à la supplication des veuves, puisqu'en leur personne c'était lui qui avait reçu ces vêtements ». Au chapitre 9 : « les réserves ne peuvent s'épuiser, quand on dépense pour les besoins du Christ. » « Partage tes gains avec le Christ, fais du Christ ton associé dans les possessions de la terre, pour qu'à son tour il te fasse avec lui cohéritier des royaumes du ciel » (ch. 13). « Nous devons avoir présent à la pensée le Christ, qui a proclamé que c'était lui qui recevait nos aumônes ».. « lorsqu'on donne aux plus petits on donne au Christ » (ch. 16). Et juste avant le chapitre 23, les scènes évoquées dans les chapitres 21 et 22 reposent sur la conviction que les prestations de bienfaisance sont un *munus* offert à Dieu. Le thème reparaîtra enfin au chapitre 24 : « Donnons au Christ les habits de cette terre, et nous recevrons en retour le vêtement céleste. Donnons-lui la nourriture et la boisson de ce siècle, et nous irons prendre part au banquet céleste. »

Plusieurs passages[1] insistent sur l'idée que les prières des pauvres viendront au secours de leurs bienfaiteurs. C'est alors, en quelque sorte, le Christ qui se supplie lui-même et supplie son Père, d'une prière qui ne peut qu'être exaucée.

Enfin, si le service des pauvres constitue un *munus* offert à Dieu et au Christ, il devient par là liturgie, sacrifice. On comprend alors que Cyprien ait pu au chapitre 18 l'assimiler aux sacrifices qu'offrait Job. La bienfaisance met ainsi en jeu la fonction sacerdotale du peuple des baptisés qui l'exerce, et de l'évêque qui la supervise.

L'initiative de l'aumône n'est pas à chercher dans ce traité du côté de l'homme, de sa philanthropie naturelle ou de son effort ascétique ou moral, mais du côté de la *clementia* salvatrice de Dieu. Et par le pauvre, le « plus petit », au service duquel elle se met, c'est encore Dieu, dans la personne du Christ, qu'elle atteint et retrouve. Elle sort de Dieu et va à Dieu, elle relève totalement de la théologie.

De l'incarnation et de la passion rédemptrices (ch. 1) au jugement eschatologique (ch. 23), le Christ Fils est à la fois origine et visée du commandement de la bienfaisance, tout cela à l'initiative du Père (première phrase du ch. 1) et selon les enseignements de l'Esprit par le moyen de l'Écriture (première phrase du ch. 2). Tels sont les fondements christologique et trinitaire du *De opere et eleemosynis*.

L'aumône cesse-t-elle pour autant de se situer en pleine humanité ? Non, car elle est proposée et prescrite à des hommes pécheurs, et sa justification théologique est liée à l'Incarnation, le Fils de Dieu se veut et se fait fils d'homme, le Pauvre divin, objet ultime de l'aumône, est en même

---

1. La supplication des veuves, bénéficiaires de la charité de Tabitha, au ch. 6. Et au ch. 9, l. 19-21 : « Lorsque la prière des pauvres adresse à Dieu une action de grâces pour nos aumônes et nos actes de bienfaisance, Dieu rend la pareille au bienfaisant et grossit sa fortune. »

temps authentiquement homme. Telle nous semble la doctrine proposée par Cyprien. Reste à examiner sous quelles formes institutionnelles elle était mise en pratique.

VIII. L'ORGANISATION DE LA CHARITÉ DANS L'ÉGLISE DE CARTHAGE

Le *De opere*, on l'a vu, est muet sur les modalités selon lesquelles l'aumône des fidèles vient subvenir aux besoins des nécessiteux ; la correspondance de Cyprien donne quelques renseignements. Lorsque les menaces que font peser les édits de l'empereur Dèce sur ceux qui ne sacrifient pas aux dieux amènent l'évêque à quitter pour un temps sa ville, l'un des premiers soucis que manifestent ses lettres est la permanence des distributions de secours aux nécessiteux de la communauté[1]. Cela suppose que ces distributions constituent une pratique régulière dans l'Église de Carthage, et que leur organisation ou leur supervision fait partie de la charge de l'évêque[2]. Une sorte de fonds de charité est ainsi constitué à partir des apports des fidèles[3].

Il en était déjà ainsi un demi-siècle auparavant, comme en témoigne Tertullien :

« Ce sont des vieillards éprouvés qui président, ils obtiennent cet honneur non pas à prix d'argent, mais par le témoignage de leur vertu, car aucune chose de Dieu ne coûte de l'argent. Et même s'il existe chez nous une sorte de caisse commune, elle n'est pas formée par une « somme honoraire » versée par les élus, comme si la religion était

---

1. *Ep.* 7, 2 et 5, 1, 2 (la *Lettre* 5 est postérieure à la *Lettre* 7 : DUQUENNE 1972, p. 63 ; CLARKE 1984, vol. 1, p. 181).
2. Ce que confirme *Ep.* 41, 1, 2.
3. *Ep.* 5, 1, 2.

mise aux enchères. Chacun paie une cotisation modique
à un jour fixé par mois ou quand il veut bien, et s'il le
veut et s'il le peut. Car personne n'est forcé ; on verse
librement sa contribution.

« C'est là comme un dépôt de la piété. En effet on n'y
puise pas pour des festins ni des beuveries, ni pour des
lieux de stériles ripailles, mais pour nourrir et inhumer les
pauvres, pour secourir les garçons et les filles qui n'ont ni
fortune ni parents, et puis les serviteurs devenus vieux,
comme aussi les naufragés ; et si des chrétiens souffrent
dans les mines, dans les îles, dans les prisons, uniquement
pour la cause de notre Dieu, ils deviennent les nourris-
sons de la religion qu'ils ont confessée [1]. »

Ces renseignements donnés par Tertullien ont le mérite
de concerner précisément Carthage. Ceux qu'apporte le philosophe et apologiste Justin nous apprennent ce qui se pas-
sait déjà peu après 150 à Rome, où ce Palestinien de langue
grecque était venu enseigner et a subi le martyre. Dans sa
Première Apologie, après avoir rapporté en quelques phrases
le déroulement de la réunion dominicale des chrétiens,
depuis les lectures bibliques en passant par la grande prière
d'action de grâces du président jusqu'à la distribution et le
partage de la nourriture eucharistique, il ajoute immédiatement (*I Ap.* 67, 6-8 [2]) :

---

1. *Praesident probati quique seniores, honorem istum non pretio, sed tes-*
timonio adepti, neque enim pretio ulla res Dei constat. Etiam, si quod arcae
genus est, non de honoraria summa quasi redemptae religionis congregatur.
Modicam unusquique stipem menstrua die uel cum uelit, et si modo uelit et
si modo possit, apponit. Nam nemo compellitur, sed sponte confert. Haec
quasi deposita pietatis sunt. Quippe non epulis inde nec potaculis nec ingra-
tis uoratrinis dispensatur, sed egenis alendis humandisque et pueris ac puel-
lis re ac parentibus destitutis, iamque domesticis senibus, item naufragis,
et si qui in metallis et si qui in insulis uel in custodiis, dumtaxat ex causa
Dei sectae, alumni confessionis suae fiunt. (TERTULLIEN, *Ap.* 39, 5-6, Trad.
Waltzing, *CUF,* p. 82).

2. Cf. WARTELLE 1987.

« Ceux qui ont des moyens et qui le veulent donnent, chacun selon son propre choix, ce qu'ils veulent, et ce qu'on recueille ainsi est déposé auprès du président, et lui, il secourt les orphelins et les veuves, ainsi que les gens qui du fait de la maladie ou d'une autre cause se trouvent dépourvus, les prisonniers, les étrangers de passage ; en un mot il assure le soin de tous ceux qui sont dans le besoin. C'est le jour du soleil que nous tenons tous ensemble cette réunion ».

La collecte est ainsi, d'après Justin, liée à l'eucharistie dominicale, qu'elle achève et prolonge, et le président de l'eucharistie, c'est-à-dire dans les conditions ordinaires l'évêque, se trouve investi d'une responsabilité particulière en vue de la distribution des secours.

Un document contemporain de Cyprien ou à peine antérieur, mais géographiquement plus éloigné – il émane de Syrie –, la *Didascalia Apostolorum*, révèle des institutions analogues : les fidèles remettent à l'évêque, qui les distribuera, les dons qu'ils destinent aux veuves et aux étrangers, et ils les lui remettent lors de l'oblation eucharistique[1].

Il existe donc une caisse permanente, cela paraît assuré. Mais pour des besoins exceptionnels, par exemple l'afflux à Carthage de chrétiens d'autres villes fuyant le danger qu'ils couraient là où ils étaient connus, Cyprien ajoute de l'argent pris sur sa fortune personnelle[2]. En une autre circonstance, l'appel au secours lancé par des évêques de Numidie qui ne peuvent payer la rançon de certains de leurs fidèles enlevés par une razzia, on organise d'urgence une collecte parmi les chrétiens de Carthage[3]. Il apparaît donc que la caisse permanente est complétée en cas de nécessité par des apports extraordinaires.

1. Cf. CONNOLLY 1929, ch. 9, p. 100 et ch. 14, p. 131.
2. *Ep.* 7, 2.
3. *Ep.* 62, 3, 1.

Le rôle assumé par l'évêque dans la redistribution aux chrétiens nécessiteux des dons collectés parmi les fidèles, et les contributions personnelles de Cyprien sur sa fortune privée, ont amené certains[1] à rapprocher la position qu'il occupa de celle dont jouissait dans la société du temps un riche notable vis-à-vis de « clients » individuels ou d'associations d'entr'aide, dont il était le *patronus*. Un tel rapprochement, éclairant lorsque les analogies qu'il signale aident à comprendre que les institutions de l'Église ne se sont pas établies sans rapport avec l'esprit de l'époque, ne doit pas être systématisé et servir à expliquer le moindre geste, la moindre revendication d'autorité de Cyprien, qui ont bien d'autres sources, plus directement religieuses ou personnelles.

Quoi qu'il en soit, cette organisation de la charité ecclésiale n'exclut probablement pas la possibilité de dons individuels à des pauvres, mais Cyprien ne les mentionne pas explicitement. On ne nous dit pas si la riche dame du chapitre 15 est invitée à donner son argent directement aux pauvres qu'elle ne sait pas apercevoir sur son chemin quand elle entre à l'assemblée de l'Église, ou à la caisse de secours de l'Église, qui le redistribuera, mais de toute façon le don qui lui est demandé est mis par le texte en rapport avec l'offrande faite à Dieu dans la liturgie : il acquiert par là une dimension communautaire quelles que soient les conditions concrètes de sa réalisation[2].

---

1. MONTGOMERY 1988 ; BOBERTZ 1988.
2. Sur la dimension communautaire d'une bienfaisance même individuelle, dans une civilisation où la longue tradition de la « liturgie » (λειτουργία) grecque et du *munus* romain fait que certains services publics et ce que nous appelons aujourd'hui l'action sociale relèvent d'un « évergétisme » (du grec εὐεργέτης, bienfaiteur) sur fonds privés ou sur la cassette personnelle du souverain, on se reportera à notre article de 1975 cité dans la bibliographie.

IX. POURQUOI LE *DE OPERE*
ET ELEEMOSYNIS ?

Au terme, ou presque, de cette introduction, il devient peut-être possible d'esquisser une réponse à une question qui n'avait pas reçu de solution lorsque nous avons examiné la date et les circonstances. Nous croyons avoir montré qu'il n'est pas justifié de mettre le *De opere et eleemosynis* en rapport avec des circonstances extérieures définies, telles que la persécution et ses suites, la peste, ou une razzia en Numidie. Il ne s'agit pas non plus de faire face, dans des circonstances non précisées, à des besoins des pauvres momentanément plus pressants, le texte est totalement muet là-dessus. Mais alors quel est le dessein de Cyprien lorsqu'il décide d'écrire ?

La réponse peut nous être suggérée par le contenu et le déroulement de l'œuvre elle-même. Elle est tout entière une exhortation visant à induire chez les fidèles une conduite de bienfaisance et d'aumône. Certes, les actes individuels de charité ne sont exclus nulle part, mais divers indices, avant tout le lien établi au début du chapitre 15 avec la liturgie, la référence du chapitre 25 aux institutions communautaires de l'Église des apôtres, et les connotations du mot *munus*, amènent à considérer qu'il est question essentiellement de l'apport du croyant à la caisse de secours de la communauté, caisse dont l'existence est attestée par Justin et Tertullien, et supposée par plusieurs passages de la correspondance de notre auteur.

Cette exhortation ne s'appuie pas sur une argumentation de type moral ou affectif, elle reçoit pour fondement une affirmation théologique concernant le salut et proposée à la foi des auditeurs et des lecteurs, et le rôle prééminent de l'Écriture, œuvre du Saint-Esprit, dans la suite du développement, confirme l'importance de cet appel à la foi.

Il s'agit donc tout ensemble de conforter une institution de l'Église, sa caisse de secours, que les vicissitudes des temps de persécution et de peste ont probablement vidée et qu'il a fallu reconstituer, et d'éclairer et conforter la foi des fidèles en vue de leur salut dans les circonstances ordinaires de la vie. C'est précisément parce qu'il n'y a plus d'urgences extérieures que l'évêque, responsable de la caisse de secours et pasteur soucieux de la santé spirituelle de ses chrétiens, se met au travail pour une réflexion de fond au service d'une exhortation nécessaire.

X. LE TEXTE

Le texte pris pour base est celui qui a été procuré en 1976 par le professeur Manlio Simonetti dans le volume III-A de la série latine du *Corpus Christianorum*. On s'accorde pour penser qu'il représente un progrès notable par rapport à la précédente édition critique, publiée en 1868 par Hartel dans le *Corpus Scriptorum Ecclesiasticorum Latinorum*, ou Corpus de Vienne[1], et encore plus par rapport à la Patrologie latine de Migne, qui reprenait le texte et les notes de Baluze (1726[2]).

Il serait injuste d'omettre que ce progrès doit beaucoup au travail effectué par le P. Maurice Bévenot s.j. Celui-ci, en vue de son édition du *De ecclesiae catholicae unitate* [3], a fait

---

1. Texte reproduit encore par Rebenack en 1962.

2. Publication posthume, par les soins de dom Prudent Maran, Étienne Baluze étant mort en 1717. La Patrologie Latine avoue avoir enrichi cette édition des œuvres complètes de saint Cyprien par l'indication de variantes « glanées » (*spicilegia*) principalement dans l'édition dite « oxonienne » (par John Fell, évêque d'Oxford, 1682), et par l'ajout de quelques annotations de provenances diverses. Sur le travail et l'édition de Baluze, voir PETITMENGIN 1975.

3. BÉVENOT 1971.

une étude d'ensemble de la tradition manuscrite des traités
de Cyprien[1], qui a permis d'élargir et d'améliorer les choix
qui avaient été ceux d'Hartel. M. Bévenot ne prétend pas
que la sélection de manuscrits qu'il propose soit définitive,
ni la meilleure théoriquement possible, mais il la présente
comme « une solution pratique, donnant une assurance rai-
sonnable qu'avec ces manuscrits on ne laisse vraisemblablement échapper, dans les traités de Cyprien, que très peu de
ce qui a survécu jusqu'à aujourd'hui[2] ». Son choix va de
témoins très anciens (VIᵉ siècle) à d'autres bien plus récents,
mais sans qu'il cherche à établir un arbre généalogique des
manuscrits[3].

Nous n'avions pas la prétention de pouvoir faire vraiment
mieux que le professeur Simonetti, et nous sommes persuadé, avec d'autres, que tenter de remplacer l'édition des
traités publiée par le *Corpus Christianorum* ne vaudra la
peine que le jour où un traitement informatique de passages
parallèles suffisamment étendus, pris dans un beaucoup plus
grand nombre des manuscrits de Cyprien – il en existe plusieurs centaines –, aura permis de donner une base encore
plus rigoureuse au choix des manuscrits dont les variantes
seront systématiquement prises en compte, choix qui jus-

1. Bévenot 1961.
2. *Ibid.*, p. 139.
3. « Certains des manuscrits plus récents, parce qu'ils conservent des
traditions indépendantes, peuvent être au moins aussi utiles que les plus
anciens. En même temps chaque transcription, non seulement était susceptible d'introduire des erreurs, mais aussi insérait souvent des corrections, soit par conjecture, soit par emprunt à quelque autre modèle. La présence d'une "contamination" de ce type, même dans nos plus vieux
manuscrits, rend la construction d'un "stemma" largement arbitraire, et de
peu d'utilité pratique » (Bévenot 1971, p. XVIII). Le grand nombre des
manuscrits de Cyprien à l'époque médiévale, dont certains ont certainement circulé entre les ateliers, explique la fréquence de ces croisements de
traditions diverses. ~ Pour plus de détails sur l'histoire des recherches effec-
tuées depuis Hartel sur la tradition manuscrite du corpus des œuvres de
Cyprien, on se reportera à Marin 1983, p. 205-237.

qu'ici a toujours demandé une grande contribution à l'intuition des éditeurs. Il est d'ailleurs loin d'être assuré que ce traitement aboutisse à plus qu'à quelques modifications de détail dans un texte déjà fort satisfaisant.

Nous nous sommes donc très peu écarté du texte de M. Simonetti. En dehors de certains partis pris orthographiques trouvant des justifications dans quelques manuscrits mais sans vraisemblance chez un lettré du troisième siècle (*adque* pour *atque*, *adqui* pour *atqui*, *aput* pour *apud*)[1], nous n'avons voulu refuser, parmi les choix de M. Simonetti, que *posset* (*possit* selon nous)[2] à la fin du chapitre 15, et *praestatur* (*praestetur* selon nous) dans la seconde occurrence du verbe vers la fin du chapitre 23 (l. 43)[3].

Pour présenter ce que sera l'apparat critique, il convient de donner d'abord les précisions que voici. Le travail de M. Bévenot l'amène à proposer pour conclure une sélection de dix manuscrits, ceux que représentent dans l'apparat les sigles *S P Y G D R h m e a*[4]. M. Simonetti a adopté cette sélection à l'exception de *m*, qu'il a remplacé par *p* (selon Bévenot *p* fait partie du même groupe que *m*), et il a ajouté

---

1. Pour d'autres partis pris orthographiques, parfois contestables mais non inadmissibles, nous avons préféré ne pas bouleverser un texte utilisé avant nous par les auteurs d'études diverses, concordance, index, etc. ~ Cette remarque vaut notamment pour certains choix entre assimilation phonétique et respect de l'étymologie dans les préfixes. L'incertitude reste grande, car deux manuscrits dépendant évidemment d'une même source peuvent ne pas présenter les mêmes choix, un même copiste peut réagir différemment à quelques lignes d'intervalle. Là où plusieurs graphies étaient en concurrence, il n'y a pas de réelle transmission de l'orthographe, et il serait imprudent de se fonder sur quelque tradition manuscrite que ce soit pour décider si Cyprien écrivait *fenerari* ou *faenerari*, *thesaurus* ou *thensaurus*, *conparo* ou *comparo*.

2. Voir la note complémentaire 12, p. 182 s.

3. Aucun manuscrit n'offre *praestatur*, malgré les indications contraires de M. Simonetti, et déjà de Hartel. Mais *praestatur* se lit à la ligne précédente.

4. BÉVENOT 1961, p. 139.

F W et *V,* probablement pour ne laisser de côté aucun
manuscrit utilisé par Hartel, qui avait limité son choix à *S
G* et ces trois derniers. Nous avons relu sur photocopie ou
microfilm tous ces manuscrits, y compris *m.*

M. Simonetti n'avait pas retenu toutes les variantes, sans
s'expliquer autrement sur les critères de ce choix, et certaines de ses unités critiques étaient incomplètes, telle leçon
attribuée par lui à un ou deux manuscrits pouvant se lire
aussi dans d'autres ; pour certains manuscrits, il s'était
contenté de faire confiance à l'apparat de Hartel, sans éviter
toute erreur d'interprétation. Il nous a donc semblé utile
d'établir un relevé aussi complet que possible [1] des variantes
pour tous les manuscrits mentionnés ci-dessus, autrement
dit tous ceux qu'a utilisés M. Simonetti, plus *m.*

A cette fin nous avons rédigé un apparat négatif exhaus-
tif, ce qui veut dire que tout manuscrit de la sélection non
mentionné dans une unité critique porte la leçon retenue,
sauf erreur de lecture de notre part.

Nous avons dû cependant prévoir pour *V* un traitement
particulier. Ce manuscrit de Vérone, en semi-onciale, peut
avoir été copié entre le cinquième et le huitième siècle, on
l'attribue souvent au sixième. Aujourd'hui disparu, il était
au milieu du seizième siècle entre les mains de l'érudit
Latino Latini lorsqu'il annotait une édition des traités de
Cyprien préparée par Érasme et publiée en 1537. Lorsque
le texte de *V* diffère de celui d'Érasme, mais seulement si la
variante lui paraît présenter un intérêt pour le débat en vue
d'une éventuelle édition améliorée, Latini indique en marge
la leçon de *V.* En l'absence d'annotation marginale nous
ignorons si *V* portait le même texte que l'édition éras-
mienne, ou si une variante a paru ne pas mériter d'être rele-

---

1. Ici et là des atteintes subies par les manuscrits au cours du temps rendent la lecture incertaine. Dans ce cas, assez rare au demeurant, nous ne
notons la chose que si la leçon adoptée dans le texte est absolument exclue.

vée. Nous ne pouvons dès lors nous référer à ce manuscrit
que de manière discontinue, là, et là seulement, où Latino
Latini lui a emprunté explicitement une variante. Cette dis-
continuité impose pour *V* un apparat positif.

Les cinq manuscrits utilisés par Hartel, *F S W G V*, font
partie de notre sélection : y ajouter Hartel lui-même a paru
sans intérêt réel. Nos rares désaccords avec Simonetti ont
été indiqués.

Conformément aux habitudes de la Collection, les
variantes purement orthographiques [1] n'ont pas trouvé place
dans l'apparat du présent volume. Les lapsus corrigés en
marge ou entre les lignes sur un manuscrit n'ont été notés
ici que s'ils coïncident avec une variante définitive d'un
autre manuscrit. Quelques bévues mineures et évidentes
d'un manuscrit isolé, dès lors qu'elles étaient dépourvues de
tout rapport avec une variante d'autres manuscrits, ont été
également laissées de côté. Mais tout avait été relevé, dans
les limites de nos moyens et de la fraîcheur de notre attention, et un apparat qu'on a voulu complet, contenant les
variantes orthographiques et les moindres bévues [2], a été
déposé à l'Institut des *Sources Chrétiennes*, à la disposition
des chercheurs.

XI. NOTE SUR LA TRADUCTION

Le lecteur qui, par nécessité ou par choix, se contentera
de la seule traduction sans se reporter à l'original latin doit
être averti de ce qui suit. On aimerait traduire un même mot

---

1. Y compris *ae* ou *œ* écrits *e*, ou l'inverse, lorsque la lecture juste ne
pose aucun problème.
2. Les leçons propres à Baluze, qui avait consulté d'autres manuscrits
que les nôtres, sont également incluses dans cet instrument de travail.

latin par un même mot français d'un bout à l'autre de l'œuvre. C'est impossible, parce que les mots des deux langues ne se correspondent pas exactement, sauf pour certains termes techniques, et l'interprétation varie en fonction du contexte. On ne devra donc tirer aucune conclusion de la répétition de tel ou tel mot français après un long intervalle sans avoir vérifié préalablement sur le texte latin ; cela vaut pour le style comme pour le fond.

A l'inverse, lorsqu'il s'agit de quelques phrases qui se suivent, voire une ou deux pages formant une unité, on a fait l'impossible pour que les répétitions ou les variations du vocabulaire français respectent les répétitions et les variations du vocabulaire latin[1]. Cela ne va pas parfois sans quelques difficultés (je pense à la traduction de *munus* par « prestation »), mais on a pensé rendre ainsi service au lecteur.

Pour la famille de mots *opus, operari, operatio,* on devra savoir que chaque fois qu'on lit : « œuvre, mettre en œuvre, œuvrer », mais aussi « bienfaisance, faire le bien », il s'agit toujours d'un mot de cette famille. L'adoption d'une traduction unique a été ici impossible, mais on a pris soin de ne jamais recourir aux mêmes mots ou expressions pour traduire d'autres termes latins, par exemple *bonum facere,* qui apparaît au chapitre 24 et qui a été rendu par « faire ce qui est bien ».

---

1. Cette règle doit cependant être appliquée avec modération. Au ch. 18, *pignus* est utilisé quatre fois pour désigner les fils et filles, les enfants. Ce mot, qui signifie « gage », est employé dès l'âge classique par les poètes avec la valeur de gage (d'affection), d'où « personne chère ». On l'a traduit par « tête chère ». Mais cette expression garde en français une forte charge affective et stylistique, alors que *pignus* dans cet emploi est en voie de lexicalisation à l'époque de Cyprien. On a donc introduit des variations, qui toutes cependant contiennent « cher » ou « chérir », afin d'éviter une surcharge du style qui dans ce cas n'aurait pas correspondu à une surcharge de l'original.

De même la richesse sémantique du mot *fides* amène à ne pas le traduire en tout contexte par « foi », mais aussi par « fidélité » et « loyauté » : il ne s'agit toujours que d'un seul mot latin, et pour Cyprien certainement d'un seul concept. *Fidelis* sera ordinairement « fidèle », mais parfois « loyal ».

Grâce à l'amitié de M. J.-C. Fredouille, professeur à l'Université de Paris-Sorbonne, un premier état de ce travail a été discuté dans son séminaire en 1992-1993. Je le remercie, et je remercie tous les participants dont les questions et les remarques m'ont aidé à progresser, notamment Mme B. Colot et MM. F. Chapot et J.-F. Cottier, qui avaient bien voulu alors lire l'ensemble du premier jet. Mme S. Deléani, qui coordonne pour *Sources Chrétiennes* la publication des traités de Cyprien, et Mme C. Ingremeau, maître de conférences à l'Université du Mans, ont accepté de revoir très attentivement le manuscrit presque achevé, et j'ai tiré un grand profit de leurs observations. Je porte bien sûr seul la responsabilité des choix définitifs.

A l'Institut des Sources Chrétiennes, la mise en forme de ce travail a reçu l'aide précieuse de D. Gonnet et M. Lestienne.

TEXTE

ET

TRADUCTION

CONSPECTVS SIGLORVM

Manuscrits

Manuscrits recensés par M. Simonetti pour son édition, plus *m*.
* = manuscrits retenus par Bévenot pour sa sélection restreinte

F   *Taurinensis G V 37, saec.* 5, ff. 1-29.
S   * *Parisinus 10592 (olim Seguierianus), saec.* 6/7, ff. 74-82v.
P   * *Parisinus 1647 A, saec.* 9, ff. 64-72v.
W   *Wirceburgensis Vniu. Th. f. 145, saec.* 9, ff. 93v-102v.
Y   * *Monacensis 4597, saec.* 9, ff. 118v-127.
G   * *Sangallensis 89, saec.* 9, pp. 74-106.
D   * *Oxoniensis Bodl. Laud. Misc. 451, saec.* 9, ff. 38-44.
R   * *Vaticanus Regin. Lat. 116, saec.* 9, ff. 12-17.
h   * *Leidensis Vossianus lat. oct. 7, saec.* 11, ff. 36v-43v.
m   * *Mantuanus B. Com. B III 18, saec.* 11, ff. 36-41v.
p   *Vaticanus Lat. 202, saec.* 11, ff. 48v-56v.
e   * *Londiniensis Br. Mus. Roy. Ms. 6 B XV, saec.* 12, ff. 33-
        38v.
a   * *Admontanus 587, saec.* 12, ff. 54v-58v.
\<V\> *fragmenta codicis Veronensis deperditi, ex L. Latinii colla-
        tione.*

Éditeurs

Sim Simonetti (1976).

Les manuscrits *F*, *S* et *a* sont lacunaires : 3, 12 *(aut stultus)* – 5,
14 *(et pauperem)* manquent en *F* ; 7, 2 *(uiuificans)* – 16, 10 *(Dei
paria con-)* manquent en *a* et *S* s'arrête en 16, 12 *(custodie-)*. En

tête de l'apparat de chaque chapitre est donnée la liste des manuscrits qui en ont le texte.

L'apparat est négatif, sauf pour <V>. Lorsqu'un manuscrit autre que <V> n'est pas mentionné dans une unité critique, c'est qu'il donne la leçon qui a été retenue pour le texte.

Pour <V>, manuscrit aujourd'hui disparu sur lequel nous n'avons que des informations fragmentaires, son absence d'une unité critique est sans signification. Lorsque <V>, connu en cet endroit, confirme une leçon adoptée dans notre texte mais contredite par d'autres manuscrits, nous l'indiquons (pour <V> l'apparat devient alors positif). Lorsque <V> est connu mais ne fait que confirmer l'unanimité de nos manuscrits, il n'est pas créé d'unité critique.

*

F^1, S^1, etc. = leçon de F, S, etc. avant une correction (ces fautes corrigées sur le manuscrit même n'ont été en règle générale mentionnées que si elles coïncident avec une leçon définitive d'un autre manuscrit). Si F^2, S^2, etc. n'est pas indiqué, c'est que la correction est identique à notre texte.

F^2, S^2, etc. = correction portée sur F, S, etc. Si F^1, S^1, etc. n'est pas indiqué, c'est que le texte avant correction était identique au nôtre.

* = lettre(s) effacée(s) ou illisible(s).

/ = lettre(s) grattée(s).

> = *omisit*.

~ = inversion de l'ordre des mots du lemme (lorsque le lemme comporte trois mots ou plus, le signe ~ est placé dans le lemme, entre les deux groupes de mots intervertis par le manuscrit).

+ = mot(s) supplémentaire(s) à la suite du lemme.

DE OPERE ET ELEEMOSYNIS

1. Multa et magna sunt, fratres carissimi, beneficia diuina quibus in salutem nostram Dei Patris et Christi larga et copiosa clementia et operata sit et semper operetur, quod conseruandis ac uiuificandis nobis Pater Filium misit ut
5 reparare nos posset quodque Filius, missus, esse et hominis

---

inscriptio deest in F e ‖ de : incipit de *S P W Y D R m p* incipit eiusdem de *G*

1. *F S P W Y G D R h m p e a <V>*
1 carissimi : dilectissimi *G R a <V>* ‖ 3 et¹> *m p a* ‖ et semper : ~ *e* semperque *a* ‖ operetur : operatur *D* ‖ 4 conseruandis : seruandis *G m p* ‖ ac : et *W* ‖ pater filium : + suum *R h <V>* filium suum pater *G* ‖ 5 posset : possit *m p* ‖ quodque : quod dei *m p* ‖ filius : filius dei *a* ‖ esse : esset *R a* est *h m p* dici se *<V>* ‖ et > *G D*

---

1. Sur la parenté de la notion de *clementia* avec la φιλανθρωπία grecque, voir Introduction VII, p. 47.

2. *et operata sit et semper operetur* : la langue tardive élargit souvent sans raison apparente l'emploi du subjonctif dans les circonstancielles et les relatives (BLAISE 1955, § 274 et 321) et tend à faire de ce mode une simple marque, à peine appuyée, de la subordination.

3. La proposition en *quod* est apposée au sujet *beneficia diuina*, dont elle développe le contenu (« consistant en ceci que »). Cf. CICÉRON, *De natura deorum* 2, 131 : *sed illa quanta benignitas naturae, quod tam multa ad uescendum tam uarie, tam iucunda gignit* ! (...cette bienveillance de la nature qui consiste en ceci que..). ~ *conseruandis ac uiuificandis nobis* : dans la langue classique, cet emploi du datif de l'adjectif verbal pour signifier la fin en vue de laquelle une action est faite ou une fonction est instituée était réservé au langage administratif : *triumuir coloniis deducendis*, commissaire

LA BIENFAISANCE ET LES AUMÔNES

**L'œuvre de Dieu
pour le salut
des hommes**

1. Nombreux et importants, frères
très chers, sont les bienfaits divins que
pour notre salut la libérale et riche
bonté[1] de Dieu le Père et du Christ a
mis en œuvre et ne cesse de mettre en œuvre[2], car pour
notre sauvegarde et pour nous donner la vie[3], le Père a
envoyé le Fils[4], afin de pouvoir nous régénérer, et le Fils

chargé d'établir des colonies (SALLUSTE, *Jug.* 42). Cette tournure s'emploie
beaucoup plus librement dans la langue tardive pour exprimer le but de
manière générale (BLAISE 1955, § 348). ~ Le verbe *uiuificare* est un calque
lexical du grec ζωοποιεῖν, attesté depuis Aristote mais aussi présent dans
la Septante (BRAUN 1977, p. 539 ; LOI 1966). Tertullien ne l'emploie qu'en
citation scripturaire ou en relation avec une telle citation (BRAUN 1977,
p. 540).

4. « pour nous donner la vie le Père a envoyé le Fils » paraît bien s'inspirer de 1 Jn 4, 9. Même idée dans *Ad Demetrianum* 16 : « Crois au Christ,
que le Père a envoyé pour nous donner la vie et nous régénérer. » ~ La
suite : « le Père a envoyé le Fils (...) fils d'homme, afin de nous faire fils de
Dieu » vient plutôt de Ga 4, 4-5 : « Dieu a envoyé son Fils, né d'une femme,
(...) pour que nous recevions en retour l'adoption qui nous fait fils » = *Ad
Quirinum* 2, 8 ; cf. Rm 8, 14-15. Les textes pauliniens qui proclament que
l'homme racheté est devenu fils de Dieu voient là une adoption, et ils mettent l'accent sur le rôle de l'Esprit (Rm 8, 14 et Ga 4, 6). Cyprien a laissé
de côté ces points pour ne mettre en valeur que la « mission » du Fils et
l'échange des conditions qu'en quelque sorte elle produit entre lui et
l'homme, thème qu'il développera dans la période qui suit aussitôt.
Contrairement à Paul, dont le génie impulsif brasse ensemble plusieurs
idées connexes, Cyprien avance une thèse à la fois.

filius uoluit ut nos Dei filios faceret. Humiliauit se ut populum qui prius iacebat erigeret, uulneratus est ut uulnera nostra curaret, seruiuit ut ad libertatem seruientes extraheret, mori sustinuit ut inmortalitatem mortalibus exhiberet.

10   Multa haec sunt et magna diuinae misericordiae munera. Sed adhuc qualis prouidentia illa et quanta clementia est, quod nobis salutari ratione prospicitur, ut homini qui redemptus est reseruando plenius consulatur. Nam cum Dominus adueniens sanasset illa quae Adam portauerat uul-

---

6 filius : filium <V> ‖ uoluit : uocari uoluit F^2 esse uoluit R   uoluit esse h   fieri uoluit m p   dici uoluit e a ‖ populum + suum G ‖ 7 erigeret : erigeretur F^2 ‖ uulneratus : uulneribus F ‖ est + ipse F^2 ‖ 10 munera : > p opera e ‖ 11 adhuc qualis : ~ R ‖ prouidentia : prouidentiae S ‖ 12 quod : quae P ‖ ut : et F   + et h ‖ 13 reseruando : > e   seruando p ‖ consulatur : consolatur F

---

1. Les virgules dont M. Simonetti a encadré *missus* dans son édition rendent facile la compréhension du texte, qui est celui de la majorité de ses manuscrits anciens. Si l'on joint *missus* syntaxiquement à *esse*, on se heurte à des difficultés de compréhension qui ont entraîné des corrections inutiles, déjà dans certains manuscrits. Le parti adopté par M. Simonetti est confirmé par la traduction grecque de ce passage qui figure dans les Actes du Concile d'Éphèse : καὶ πεμφθεὶς ὁ υἱὸς ἠθέλησεν υἱὸς ἀνθρώπου γενέσθαι (REBENACK 1962, p. 25 ; SCHWARTZ 1927, p. 42 ; 1929, p. 92), même si cette traduction, d'accord sur ce point avec nos manuscrits G et D, escamote l'adverbe *et*. Les leçons fautives de certains manuscrits *(esset, est)* s'expliquent mieux en partant de *esse et*. ~ L'expression *hominis filius* veut souligner la réalité de l'humanité du Christ. Il ne s'agit donc pas ici de mettre en valeur le titre messianique et eschatologique de « Fils de l'homme », issu de la vision du livre de *Daniel* (7, 13), repris dans les évangiles (Mt 24, 30 ; Mc 13, 26 ; Lc 21, 27) et revendiqué par Jésus (Mt 26, 64 ; Mc 14, 62 ; Lc 22, 69). Cyprien a pour cette raison évité d'écrire *filius hominis*, qui est l'ordre constant des mots pour ce titre.

ainsi envoyé a voulu être en même temps fils d'homme[1], afin de nous faire fils de Dieu. Il s'est abaissé, pour remettre debout un peuple qui jusque-là gisait à terre ; il a été blessé, pour soigner nos blessures ; il a connu l'esclavage, pour rendre à la liberté ceux qui étaient esclaves ; il a accepté de subir la mort[2], pour apporter l'immortalité aux mortels[3].

Telles sont, nombreuses et importantes, les prestations en notre faveur de la miséricorde divine ; mais en outre que de perfection dans cette providence et que d'abondance dans cette bonté, puisque nous sommes l'objet d'une prévoyance salutaire, qui veille[4] plus pleinement encore à sauvegarder l'homme après son rachat[5] ! En effet lorsque le Seigneur venant en ce monde eut guéri les blessures qu'Adam avait

---

2. Littéralement : « il a supporté de mourir ». Cet emploi du verbe *sustinere* avec un infinitif pour complément est isolé dans l'ensemble de l'œuvre de Cyprien. Il est peut-être en rapport avec l'usage courant de l'infinitif en grec avec ὑπομένειν, dont la traduction ordinaire dans la version latine d'Irénée est précisément *sustinere* (VILLEY 1992, p. 385). Le livre cité de L. Villey (p. 382) a attiré notre attention sur trois passages de la *Première Apologie* de JUSTIN dans lesquels l'expression « il a supporté de souffrir » (ὑπέμεινε παθεῖν) a pour sujet le Christ, est associée à « étant devenu homme » (ἄνθρωπος γενόμενος) et complétée par « pour nous » (ὑπὲρ ἡμῶν, en *I Ap.* 50, 1), « pour le genre humain » (ὑπὲρ τοῦ ἀνθρωπείου γένους, en *I Ap.* 63, 10), « pour le salut de ceux qui croient en lui » (ὑπὲρ σωτηρίας τῶν πιστευόντων αὐτῷ, en *I Ap.* 63, 16). Il est difficile de ne pas noter une rencontre de doctrine et d'expression (le Nouveau Testament ignore ὑπομένειν + infinitif) entre Justin et Cyprien ici, d'autant que « il a supporté de mourir », représenté dans l'*Apologie* par « il a supporté de souffrir », se lit textuellement dans le *Dialogue avec Tryphon* du même JUSTIN en 63, 1 et 67, 6.

3. Sur la phrase finale « Il s'est abaissé... aux mortels », voir la note complémentaire 1, p. 162 s.

4. Les trois verbes *prouidere* (présent sous le nom *prouidentia*), *prospicere* et *consulere* dans son emploi avec un datif expriment à très peu de choses près la même idée. Une telle répétition dissimulée vise à installer fortement une notion dans l'esprit du lecteur.

5. Sur l'emploi du verbe *redimere* chez Cyprien, voir la note complémentaire 2, p. 164 s.

15 nera et uenena serpentis antiqua [a] curasset, legem dedit sano
    et praecepit ne ultra iam peccaret, ne quid peccanti grauius
    eueniret. Coartati eramus et in angustum innocentiae praes-
    criptione conclusi. Nec haberet quid fragilitatis humanae
    infirmitas atque inbecillitas faceret, nisi iterum pietas diuina
20 subueniens iustitiae et misericordiae operibus ostensis uiam
    quandam tuendae salutis aperiret, ut sordes postmodum
    quascumque contrahimus eleemosynis abluamus.

---

15 antiqua : antiquae *S Y* antiqui *e²* ‖ sano : sanis *m¹ p* ‖ 16 ultra iam :
~ <*V*> ‖ ne quid : nequit *R* ‖ peccanti : peccandi *S¹* peccati *Y D* ‖ 17
praescriptione : proscr- *G* ‖ 18 nec : ne *G* ‖ quid : quod *a* ‖ 21 tuendae :
tenendae *G* tue endae *p¹* sue tuendae *p²* ‖ 22 contrahimus : protrahi-
mus *F* contraximus *m p*

---

1. a. Cf. Gn 3, 1-13.

---

1. *Portare*, à l'origine « faire passer d'un lieu à un autre, sur son dos ou
à l'aide d'un moyen de transport », a assumé de plus en plus toutes les
valeurs de *ferre*. D'où le sens, fréquent en latin tardif, de « supporter, endurer ». *Quae Adam portauerat uulnera*, c'est à la fois « les blessures
qu'Adam avait endurées » et « les blessures qu'Adam avait emportées sur
lui » lors de son expulsion du jardin d'Éden, et ainsi transmises à notre
humanité. ~ Il convient de remarquer que le verbe *portare* est aussi celui
qu'emploie Cyprien lorsque au ch. 17 du *De lapsis* il écrit que seul le Christ
peut accorder le pardon pour les péchés commis contre lui, le Christ *qui
peccata nostra portauit, qui pro nobis doluit* (citation d'Is 53, 4). Le thème
paulinien du Christ à la fois nouvel Adam et antithèse d'Adam (Rm 5, 12
s.) est ici sous-jacent.
2. Lorsque le serpent tente Ève et Adam (Gn 3, 4-5), il utilise des
paroles, qui ne sont un venin que métaphoriquement. Mais il s'agit bien de
serpents venimeux lorsque au désert de nombreux Israélites meurent de
leur morsure, et que Moïse érige sur l'ordre de Dieu un serpent d'airain
qui guérit ceux qui portent leur regard vers lui (Nb 21, 6-9), épisode qui
dès l'évangile de *Jean* (3, 14-15) est considéré comme une préfiguration du
salut et de la vie apportés par la croix du Christ.
3. Cf. Jn 8, 11 ; Mt 12, 45 ; Lc 11, 26. Mais le texte de l'Écriture qui a
le plus influencé ce passage est la parole adressée par le Christ au paraly-
tique qu'il vient de guérir : « Voici que tu as retrouvé la santé ; désormais

reçues [1], et eut porté remède à l'antique venin du serpent [a][2], il donna pour loi à l'homme guéri et il lui commanda de ne plus pécher à l'avenir, pour éviter de connaître, s'il péchait, un sort plus rigoureux [3]. Nous nous retrouvions enserrés et enfermés dans une nasse [4] par la prescription de rester sans faute. La faiblesse et l'infirmité de l'humaine fragilité [5] seraient ici sans ressources [6], si la bienveillance divine n'était venue une seconde fois à notre secours en nous faisant connaître les œuvres de la justice et de la miséricorde, et n'ouvrait ainsi une voie [7] à la préservation de notre salut : laver par des aumônes les souillures de toute sorte que nous contractons ultérieurement [8].

---

ne pèche plus, de peur qu'il ne t'arrive pire », *Ecce sanus factus es ; iam noli peccare ne quid tibi deterius fiat* (Jn 5, 14). Le texte latin est celui que Cyprien lui-même a cité dans *Ad Quirinum* 2, 27 sous le titre : « Après avoir été baptisé on reperd la grâce obtenue, si on ne préserve pas son innocence. » Dans le texte évangélique, le mot *sanus* est pris à la fois au sens physique et au sens spirituel, Cyprien ne reprend ici que le sens spirituel. C'est sur ce même texte qu'il appuyait dès le début de son épiscopat, dans *De habitu uirginum* 2, 20-21, l'exhortation à ne plus pécher après la régénération par le baptême.

4. Littéralement : « enfermés dans un passage étroit ». La difficulté de la position ainsi décrite vient moins du caractère strict des commandements à observer que de l'incapacité où se trouve la fragilité humaine de les respecter, ce qui crée une situation inextricable et angoissante. L'adjectif *angustus* n'est pas en latin simplement le contraire, dans une perspective spatiale, de *latus*, « large », car sa parenté étymologique avec le verbe *angere*, « serrer à la gorge », d'où « mettre à la gêne », restait apparente.

5. Cf. CICÉRON, *Tusc.* 5, 3 : *humani generis imbecillitatem fragilitatemque* (cette probable source cicéronienne avait été relevée par REBENACK 1962, p. 99).

6. *quid... faceret* est une interrogation indirecte délibérative, comme dans ce texte de CICÉRON (*Pro Murena* 26) : *Quid responderet ille non habebat*, « Il ne savait que répondre ».

7. *uiam* a des résonances néo-testamentaires : cf. Jn 14, 6 ; Ac 9, 2, etc.

8. Sur les sources de la doctrine de Cyprien concernant l'aumône, voir la note complémentaire 3, p. 166 s.

2. Loquitur in scripturis Spiritus sanctus et dicit : *Eleemosynis et fide delicta purgantur* [a]. Non utique illa delicta quae fuerant ante contracta : nam illa Christi sanguine et sanctificatione purgantur. Item denuo dicit : *Sicut aqua extinguit ignem, sic eleemosyna extinguit peccatum* [b]. Hic quoque ostenditur et probatur quia sicut lauacro aquae

2. *F S P W Y G D R h m p e a* <V>
1 scripturis + diuinis *h a* ‖ 2 delicta : delecta *S* ‖ 3 ante : aqute (?) *Y* ‖ 4 et sanctificatione > *m p* ‖ purgantur : purgata sunt *G* ‖ 5 extinguit : -guet *S* (ignem *ante* extinguet) *R¹* ‖ sic : + et *G* ita *D* ‖ extinguit : -guet *S R* -git *m* ‖ 6 hic : hinc *R m*

---

2. a. Pr 15, 27a (LXX)   b. Si 3, 30

---

1. Cyprien avait déjà écrit dans le *De habitu uirginum* (1, 5) : *in psalmis loquitur Spiritus sanctus*. ~ On rapprochera cette formule de celle de He 3, 7 : « Comme dit l'Esprit-Saint » (introduisant une citation de Ps 94, 7-11), ou de He 10, 15 : « L'Esprit-Saint lui aussi nous l'atteste » (introduisant une citation de Jr 31, 31.33-34). De même, dès les premiers temps de la littérature chrétienne non scripturaire, la *Lettre aux Corinthiens* de CLÉMENT DE ROME (13, 1) introduit une citation de Jérémie (9, 22-23) par « Le Saint-Esprit a dit ». Dès ces premiers auteurs, l'Esprit-Saint n'est pas seulement Esprit du Seigneur, il est lui-même Seigneur. Chez TERTULLIEN (par exemple *Herm.* 22, 1) et chez Cyprien, c'est désormais tout texte biblique qui est parole de l'Esprit.

2. Traduire ici « nettoient les fautes », aurait rendu agressive une métaphore en fait déjà lexicalisée. Mais c'est bien le même verbe *purgare* qui est repris dans la seconde partie du chapitre où nous l'avons traduit par « nettoyer ».

3. Cf. He 9, 14 : « le sang du Christ ... purifiera notre conscience des œuvres mortes. » Cependant *l'Épître aux Hébreux* n'est jamais chez Cyprien l'objet d'une véritable citation, et ne fait probablement pas partie pour lui du canon des Écritures (FAHEY 1971, p. 40-41).

4. Cf. Ac 2, 38. Le contexte rend évident que par *sanctificatio* Cyprien désigne ici ce qu'ailleurs (*Ep.* 73, 18, 2 ; *De habitu uirginum* 23, 11) il nomme explicitement *baptismi sanctificatio*. Dans le Nouveau Testament, les chrétiens sont fréquemment appelés ἅγιοι (1 Co 6, 1 est le plus ancien

L'aumône, second moyen de salut après le baptême

2. L'Esprit-Saint parle dans les Écritures[1], et il dit : « Les aumônes et la foi effacent[2] les fautes[a]. » Il ne s'agit pas bien sûr des fautes qu'on avait commises auparavant, car celles-là c'est le sang du Christ[3] et la sanctification baptismale[4] qui les effacent[5]. Et une autre fois il dit de même : « Comme l'eau éteint le feu, ainsi l'aumône éteint le péché[b6]. » Ce texte lui aussi montre et prouve

emploi assuré), en latin *sancti*. Le baptême est donc, au sens propre, une *sanctificatio*, comme le confirme encore un passage du *De dominica oratione* (12) : *in baptismo sanctificati sumus*, « par le baptême nous avons été faits saints ». ~ Cet emploi baptismal du mot ne l'empêche pas de désigner aussi la sanctification quotidienne à laquelle est appelé ensuite le baptisé, comme le prouvent les deux adjectifs *cotidiana* et *assidua* accolés à *sanctificatio* un peu plus loin dans le même chapitre du *De dominica oratione*. ~ Sur les choix opérés par la langue latine des chrétiens, et Cyprien en particulier, entre *sacer* et *sanctus*, *consecrare* et *sanctificare*, voir FREDOUILLE 1989, p. 111-112, et SAXER 1969.

5. Même doctrine dans la *Lettre* 55, 22, 1 (fin 251-début 252), où il s'agit de la capacité qu'on ne doit pas refuser aux *lapsi* d'obtenir le pardon par la pénitence, mais à partir d'un autre texte d'Écriture (Tb 12, 9) qui ne sera invoqué dans le *De opere* que plus loin (ch. 5) : *Dominus hortatur per opera rursus exsurgere, quia scriptum est : Eleemosyna a morte liberat, et non utique ab illa morte quam semel Christi sanguis extinxit et a qua aqua nos salutaris baptismi et redemptoris nostri gratia liberauit, sed ab ea quae per delicta postmodum serpit*, « Le Seigneur exhorte à se relever par des œuvres de miséricorde car il est écrit : "L'aumône délivre de la mort", non à coup sûr de cette mort que le sang du Christ a éteinte, de laquelle l'eau salutaire du baptême et la grâce de notre Rédempteur nous a délivrés, mais de celle que les fautes ultérieures amènent insensiblement » (d'après trad. Bayard). Le verbe *extinguere* et l'expression *aqua salutaris baptismi* de ce texte trouvent des échos dans les deux phrases suivantes du présent chapitre.

6. Le texte grec (LXX, vol. 2, p. 383) se lit ainsi : « l'eau éteindra le feu qui flambe, et l'aumône expiera les péchés ». Outre l'hésitation sur les temps, courante dans les textes reposant sur un original hébreu, et présente jusque dans des manuscrits de Cyprien pour ce passage, les autres différences sont assez importantes pour faire penser que la vieille traduction latine africaine repose sur un texte grec un peu différent. ~ « L'eau éteint le feu ». Dans le contexte que lui donne Cyprien, ce passage du livre de Ben Sira acquiert une portée baptismale.

salutaris gehennae ignis extinguitur, ita eleemosynis atque operationibus iustis delictorum flamma sopitur. Et quia semel in baptismo remissa peccatorum datur, adsidua et
10 iugis operatio baptismi instar imitata Dei rursus indulgentiam largiatur.

Hoc et Dominus in euangelio docet. Nam cum denotarentur discipuli eius quod ederent nec prius manus abluissent, respondit et dixit : *Qui fecit quod est intus fecit et quod*

7 gehennae : gehenna *F h p e* ‖ ita + et *D R h* ‖ atque : et *a* ‖ 8 operationibus : operibus *G* ‖ et : ut *D* ‖ 9 remissa : remissio *P D² h m p* ‖ datur : dantur *a* <*V*> ‖ adsidua > *e* ‖ 10 imitata : -atae *S* imata *Y* ‖ 11 largiatur <*V*> : largitur *m p a* ‖ 12 docet : doceat *F* ‖ denotarentur > *e* ‖ 13 quod ederent : quoderent *S* ‖ abluissent : lauissent *G R* lauissent denotarentur *e* ‖ 14 respondit et : respondens *G* ‖ et ² > *R* ‖ et quod : ~ *a*

1. Sur l'emploi d'une complétive introduite par *quod* ou *quia* au lieu d'une infinitive, emploi devenu courant dès cette époque, on lira la mise au point de J.C. Fredouille dans les *Mélanges Fontaine* (FREDOUILLE 1992, p. 517).

2. *Lauacrum*, « bain » (APULÉE, *Métamorphoses* 5, 3, 1), sert dès Tertullien à désigner le baptême. Il prend ainsi chez les chrétiens un sens spécial, sans cependant perdre le sens de la langue commune, si bien que dans l'emploi chrétien on ajoutera souvent la précision d'un adjectif *(spiritale, caeleste)*, ou comme ici d'un génitif (par exemple *fidei*) : voir MOHRMANN 1958, p. 90 ; 1965 p. 44 et 49. Dans les traductions latines du Nouveau Testament il traduit régulièrement λουτρόν (LOI 1969, p. 69). Les deux mots *sanctificatio* et *lauacrum*, qui sont utilisés ici successivement pour désigner le baptême, avaient auparavant été associés par Cyprien dans *De habitu uirginum* 2, 8 : *membra nostra ... lauacri uitalis sanctificatione purgata*, tandis qu'à la fin du même traité, en 23, 12, *gratia lauacri salutaris* suivait de peu *baptismi sanctificatione. Lauacro aquae salutaris* se lit déjà textuellement en *Ad Donatum* 3, 38. ~ Dans son étude sur la terminologie baptismale latine, Vincenzo Loi (LOI 1969) examine l'emploi de *baptisma* (*-us), lauacrum, tinctio, intinctio* des origines au Vᵉ siècle, mais laisse de côté *sanctificatio*.

3. *in baptismo*. Pour ce mot, Cyprien utilise dans ses traités les formes suivantes : Nom. Acc. : *baptisma*, forme neutre de la troisième déclinaison d'après le mot grec βάπτισμα, -ατος. ~ Gén. : *baptismi*, et Abl. : *baptismo*, formes de la seconde déclinaison d'après le mot grec masculin βαπτισμός, -οῦ. ~ Dans le grec du Nouveau Testament, tant pour le baptême de Jean que pour le baptême chrétien conféré à partir de la Pentecôte, le mot

que [1], tout comme par le moyen du bain [2] dans l'eau du salut le feu de la géhenne est éteint, de même par les aumônes et par de justes œuvres de bienfaisance la flamme des fautes commises est étouffée. Et, parce que la remise de nos péchés nous est accordée dans le baptême [3] une seule fois, la constante et inépuisable mise en œuvre de la bienfaisance pourra [4], sur le modèle du baptême [5], nous dispenser à nouveau le pardon de Dieu.

C'est aussi ce que le Seigneur enseigne dans l'Évangile. Car, comme on blâmait ses disciples de manger sans s'être d'abord lavé les mains, il répondit en ces termes : « Celui

---

constant est βάπτισμα. Βαπτισμός n'est présent que quatre fois, toujours au pluriel, trois fois avec le sens assuré d'ablution (Mc 7, 4 ; 7, 8 ; He 9, 10), et une fois dans un passage dont l'interprétation est controversée (He 9, 10). ~ Les *Lettres* de Cyprien proposent aussi *baptismatis* (73, 5, 1) et *baptismate* (73, 13, 3).

4. « pourra ? devra ? » Le subjonctif *largiatur* (cette *lectio difficilior* paraît mieux et plus anciennement attestée que le banal *largitur*) a-t-il une valeur plutôt potentielle ou plutôt jussive ? Le subjonctif veut-il souligner que le chrétien a la *possibilité* d'être à nouveau pardonné pour peu qu'il saisisse l'occasion de l'aumône, ou constitue-t-il une *invitation* à s'en saisir ? L'un et l'autre probablement. L'essentiel est que ce subjonctif dissonne volontairement après l'indicatif *sopitur* : cet indicatif posait en fait incontestable que Dieu donne dans les œuvres de bienfaisance un vrai moyen d'étouffer la flamme des fautes commises ; le passage au subjonctif vient rappeler ensuite que le résultat n'est pas acquis d'avance pour chacun. ~ Cette phrase et la précédente sont construites en parallèle, chacune évoquant successivement le baptême, puis les actes de bienfaisance. Mais la symétrie est simultanément rompue en partie : dans la première des deux phrases le lien entre les deux éléments est comparatif *(sicut ... ita)*, dans la seconde il est causal *(quia)*, le passage du simple parallélisme à l'enchaînement causal étant appelé par la précision « une seule fois », qui rend nécessaire que quelque chose d'autre vienne renouveler les effets du baptême ; deux *quia* paraissent parallèles, mais la première fois *quia* est complétif, la seconde il est causal ; enfin, il y a le changement de mode. L'introduction d'une dissymétrie dans la symétrie est un procédé bien connu.

5. *baptismi instar imitata* : l'expression pléonastique *alicuius rei instar imitari* (littéralement : imiter l'équivalent de quelque chose) ne se rencontre ni dans la littérature latine profane (interrogée sur CD ROM), ni chez Tertullien, ni ailleurs chez Cyprien.

15 *foris est. Verum date eleemosynam, et ecce uobis munda
    omnia* ᶜ, docens scilicet et ostendens non manus lauandas
    esse sed pectus et sordes intrinsecus potius quam extrinse-
    cus detrahendas, uerum qui purgauerit quod est intus eum
    quoque id quod foris est repurgasse et emundata mente cute
20 quoque et corpore mundum esse coepisse. Porro autem
    monens et ostendens unde mundi et purgati esse possimus,
    addidit eleemosynas esse faciendas. Misericors monet mise-
    ricordiam fieri, et quia seruare quaerit quos magno redemit
    post gratiam baptismi sordidatos docet denuo posse purgari.

---

15 est > G ‖ uerum + tamen *a* ‖ date : datae *Y* ‖ 15-16 uobis munda
omnia <*V*> : omnia uobis munda sunt *a* ‖ munda omnia : ~ *m p* ‖ 16
docens : docet *Y* ‖ scilicet > G ‖ lauandas : lauadas *S* ‖ 17 et ... intrinsecus
... extrinsecus : nec ... extrinsecus.. intrinsecus *R* ‖ extrinsecus : > *m*¹ has
p ‖ 18 detrahendas <*V*> : extr- *F* ‖ uerum qui – faciendas (*l.* 22) > *m* ‖
uerum + tamen *p* ‖ 19 id : et id <*V*> ‖ emundata : mundata *R* ‖ cute > *p* ‖
20 quoque ~ et corpore *p* ‖ coepisse + fidimus *a*² ‖ autem + dominus *R* ‖
21 mundi et purgati : purgati et mundi G ‖ possimus : possumus *S* ‖ 22
addidit : addit G ‖ monet misericordiam : m.-dias *S* <*V*> misericordiam
docet G ‖ 23 fieri : esse faciendas *S* ‖ magno + pretio *F P*² ‖ redemit : +
praecio G   redimit *S*

---

c. Lc 11, 40-41.

---

1. Les limites étroites de cette citation de Luc laissent mal apercevoir la
cohérence du texte évangélique, et cette insuffisance a conduit Cyprien à
donner dans les deux phrases qui suivent une longue explication. Le texte
s'éclaire si l'on fait partir la citation du verset précédent : « Pharisiens, c'est
l'extérieur de la coupe et du plat que vous purifiez, mais votre intérieur est
rempli de rapacité et de méchanceté. Insensés ! Est-ce que celui qui a fait
l'extérieur n'a pas fait aussi l'intérieur ? Donnez plutôt en aumône ce qui
est dedans, et alors tout sera pur pour vous » (traduction littérale du grec,
empruntée à la TOB). C'est à la rapacité qui affecte l'« intérieur » des pharisiens que vient s'opposer tout naturellement l'invitation au don et à l'aumône. ~ Quelques remarques. ~ a) le texte biblique de Cyprien omet « ce
qui est dedans » (τὰ ἐνόντα), expression il est vrai peu claire, du moins si
on la transpose telle quelle en latin ou en français. En fait τὰ ἐνόντα peut
fort bien signifier ici, en un grec tout à fait classique, « les biens, les res-

qui a fait ce qui est à l'intérieur a fait aussi ce qui est au dehors. Eh bien, donnez l'aumône, et voici que tout pour vous sera pur [c][1]. » On voit donc qu'il enseignait et qu'il expliquait [2] qu'il faut laver non ses mains mais son cœur, et se débarrasser des souillures de l'intérieur plutôt que de celles de l'extérieur, qu'en réalité en nettoyant l'intérieur on a aussi nettoyé l'extérieur, et qu'avec un esprit purifié on a commencé aussi à être pur sur sa peau et sur son corps. Et là-dessus, pour indiquer et expliquer comment nous pouvons être purs et nets, il a ajouté qu'il faut faire des aumônes. Dans sa miséricorde, il avertit de pratiquer la miséricorde [3], et parce qu'il cherche à sauvegarder ceux qu'il a rachetés à grand prix, il enseigne que ceux qui après la grâce du baptême ont contracté des souillures peuvent à nouveau en être lavés.

sources dont vous disposez ». Luc joue sur l'ambivalence d'ἔνειμι. Faut-il penser que le traducteur a renoncé devant ce qu'il ne comprenait pas ? La Vulgate interprétera : *quod superest.* ~ b) *Ad Quirinum* 3,1 donne déjà la même citation, avec les mêmes limites, qui excluent le mot « rapacité » (ἁρπαγή) et rendent ainsi plus difficilement intelligible le rapport entre l'invitation au don et le thème de la pureté intérieure. Il semble donc que Cyprien se soit contenté pour ce chapitre de consulter son florilège biblique, sans relire tout le passage de Luc.

2. Voir la note complémentaire 4, p. 169 s.

3. *monet misericordiam fieri* : la distinction que fait la langue classique entre *moneo* + prop. infinitive : « je fais remarquer que ... » et *moneo* + infinitif : « j'avertis de ... » n'est pas maintenue ici, et la proposition infinitive est utilisée par Cyprien dans le sens de l'infinitif ou de *ut* + subjonctif. Il est vrai qu'ici la proposition infinitive comporte un verbe au passif, et que dans ce cas il se trouve dès l'époque classique, au moins en poésie, des exemples de cette confusion pour d'autres verbes qui admettent les deux constructions avec des sens différents, et qui expriment avec l'infinitive la pensée ou la déclaration, avec l'infinitif la volonté, l'exhortation ou la permission, ainsi pour le verbe *concedo* : *unde neque auelli quicquam neque deminui iam concedit natura*, « dont la nature ne permet qu'on puisse encore rien retrancher ni soustraire » (LUCRÈCE 1, 613-614 ; traduction Ernout). C'est chez STACE (*Thébaïde* 4, 445-446) que cette construction apparaît pour *moneo.*

3. Agnoscamus itaque, fratres carissimi, diuinae indulgentiae salubre munus et emundandis purgandisque peccatis nostris, qui sine aliquo conscientiae uulnere esse non possumus, medellis spiritalibus uulnera nostra curemus. Nec
5 quisquam sic sibi de puro atque immaculato pectore blan-
diatur, ut innocentia sua fretus medicinam non putet adhibendam esse uulneribus, cum scriptum sit : *Quis gloriabitur*
castum se habere cor aut quis gloriabitur mundus esse a pec-
catis [a] ? et iterum in epistula sua Iohannes ponat et dicat : *Si*
10 *dixerimus quia peccatum non habemus, nos ipsos decipimus*
et ueritas in nobis non est [b]. Si autem nemo esse sine peccato
potest et quisque se inculpatum dixerit aut superbus aut
stultus est, quam necessaria, quam benigna est diuina clementia, quae cum sciat non deesse sanatis quaedam post-

---

3. *F (usque* superbus, *l. 12, postea deest) S P W Y G D R h m p e a <V>*
1 fratres carissimi : > *S* fratres dilectissimi *G m p a* ‖ 2 et : > *G* et quia
S ‖ emundandis : emundanis *S* ‖ 4 medellis <*V*> : medelis *W h p e a* medul-
lis *m¹* ‖ 5 nec quisquam : nequisquam *W* ‖ sic > *W Y R* ‖ 6 non putet ~
adhibendam *R* ‖ putet : putest *F* ‖ 8 se > *D* ‖ mundus : mundum se *S P*
G h m p a ‖ esse > *a* ‖ peccatis : peccato *R* ‖ 9 in epistula sua ~ Iohannes
G ‖ Iohannes ponat : ~ *e* Iohannis ponat *F* ‖ ponat et dicat : ponit et dicit
P R   dicit *G* ‖ 10 quia : quoniam *F* ‖ decipimus : decepimus *W* ‖ 11 si
autem <*V*> : si autem confessi fuerimus peccata nostra fidelis et iustus est
dominus qui nobis peccata dimittat si autem *R* ‖ 12 et quisque > *P* ‖ se :
te *W¹ Y* ‖ 12-13 aut superbus ~ aut stultus est *G* ‖ aut stultus – pauperem
(cap. 5) > *F aliquot foliis amissis* ‖ 13 quam benigna ~ est *G* ‖ 14 sanatis :
sanitatis *m¹ a* ‖ quaedam postmodum : ~ *P*

---

3. a. Pr 20, 9 b. 1 Jn 1, 8.

---

1. *Spiritalis* n'a pas ici un sens vague, mais renvoie à la première phrase
du ch. 2 : *Loquitur in scripturis* Spiritus *sanctus et dicit :* « *Eleemosynis et*
fide delicta purgantur. »
2. Cyprien semble ne connaître qu'une seule lettre de Jean. Son œuvre,
comme celle de Tertullien, ne se réfère jamais aux deuxième et troisième
épîtres johanniques (*Biblia patristica* 1, p. 536, et 2, p. 448 ; FAHEY 1971,
p. 40).
3. On rapprochera de ce passage le titre de la section 54 du livre 3 *Ad*
Quirinum : *Neminem sine sorde et sine peccato esse*, « Personne n'est sans

3. Reconnaissons donc, frères très chers, le don salutaire que nous fait la clémence de Dieu ; et pour nous purifier et nous laver de nos péchés, nous dont la conscience ne peut être sauve de toute blessure, appliquons les remèdes qu'indique l'Esprit[1] au soin de nos blessures. Que personne, se flattant de posséder un cœur pur et sans tache, ne se confie en son innocence et ne s'imagine que ses blessures n'ont pas besoin de traitement, alors qu'il est écrit : « Qui donc se fera gloire d'avoir un cœur irréprochable, ou qui se fera gloire d'être pur de péchés[a] ? » et que de son côté Jean affirme et déclare dans sa lettre[2] : « Si nous nous déclarons sans péché, nous nous abusons nous-mêmes, et la vérité n'est pas en nous[b]. » Mais si personne ne peut être sans péché[3], et si tout homme qui se déclare sans faute[4] est un orgueilleux ou un insensé[5], combien est alors nécessaire et combien secourable la bonté[6] de Dieu qui, sachant que les hommes rendus à la santé ne sont pas à l'abri de toute blessure ulté-

---

souillure et sans péché », lui-même inspiré d'un passage du livre de *Job*, cité dans cette section : *Quis enim mundus a sordibus ? Nec unus*, « Qui en effet est pur de souillures ? Absolument personne » (Jb 14,4 Lxx). Ce rapprochement a été repéré par S. DELÉANI (*Chronica Tertullianea et Cyprianea*, REAug 32, 1986, p. 266).

4. L'emploi de *quisque* comme relatif indéfini, avec le même sens que *quisquis* ou *quicumque* est ancien, puisqu'on le trouve chez PLAUTE (*Mil.* 460), et que TITE-LIVE le reprend une fois (1, 24, 3) par affectation d'archaïsme dans une phrase qui énonce les clauses d'un traité de l'époque royale. Mais il avait été éliminé de l'usage classique. Il redevient courant en latin tardif, dès APULÉE (*Met.* 7, 9), Tertullien (cf. HOPPE 1932, p. 113), MINUCIUS FELIX (*Oct.* 13, 1), et s'accompagne ici de l'introduction du subjonctif, fréquente après l'âge classique dans les subordonnées exprimant la répétition ou la généralité.

5. « Orgueilleux » renvoie au texte des *Proverbes*, « insensé » à celui de *Jean*.

6. L'évocation de la « philanthropie » de Dieu ferme le ch. 3, et en même temps la première section de l'œuvre, comme elle a ouvert le ch. 1 (cf. Introduction IV, p. 30). Le mot *clementia* ne reparaîtra plus dans la suite.

15 modum uulnera, dedit curandis denuo sanandisque uulneri-
    bus remedia salutaria.

    4. Numquam denique, fratres dilectissimi, admonitio
    diuina cessauit et tacuit quominus in scripturis sanctis tam
    ueteribus quam nouis semper et ubique ad misericordiae
    opera Dei populus prouocaretur et canente atque exhortante
5   Spiritu sancto quisque ad spem regni caelestis instruitur
    facere eleemosynas iuberetur. Mandat et praecipit Esaiae
    Deus : *Exclama,* inquit, *in fortitudine et noli parcere. Sicut*

    15 curandis denuo : ~ *G*

    4. *S P W Y G D R h m p e a <V>*
    1 dilectissimi *<V>* : karissimi *R*   dei *p m¹* ‖ 2 in > *D* ‖ 2-3 tam ueteri-
    bus quam nouis > *P W Y* ‖ 3 et : ut *G* ‖ misericordiae : misericordiam *p m*
    a ‖ 4 opera : > *a*   et operam *p m* ‖ et > *p m* ‖ exhortante : hortante *p m*
    prouocante *G* ‖ 5 quisque : quisquis *P²* ‖ 6 eleemosynas : -nam *R* ‖ iube-
    retur : iubeatur *G*   iubetur *p m a <V>* ‖ praecipit : -cepit *Y G¹* ‖ Esaiae :
    aes- *Y a*   is- *R e m* ‖ 6-7 Esaiae deus : deus eseiae dicens *S* ‖ 7 exclama :
    clama *G*

    ───────────────

    1. Il n'y a pas à chercher entre *carissimi* et *dilectissimi* une quelconque
    différence réelle de sens. Certes, l'adjectif *carus* et le participe adjectivé
    dilectus relèvent de deux familles de mots distinctes, mais dans la langue
    classique, et notamment cicéronienne, le mot *dilectio* n'étant pas encore en
    usage, c'est *caritas* qui est le nom d'action correspondant au verbe *diligere*
    (PÉTRÉ 1948, p. 31) ; une fois *dilectio* créé vers l'époque où commence la
    littérature latine chrétienne, *caritas* et *dilectio* vont être employés concur-
    remment et, semble-t-il, indifféremment, pour nommer la vertu chrétienne
    de la charité, notamment chez Cyprien (PÉTRÉ 1948, p. 70).
    2. « solennelles » veut traduire ici ce que *canente* ajoute à *exhortante*.
    Dans le latin classique, *canere* est employé pour dire la parole inspirée des
    devins, des prophètes, des interprètes de la volonté divine. Le latin des chré-
    tiens a repris ce même verbe pour la parole inspirée des prophètes d'Israël
    et des apôtres.
    3. Trois valeurs possibles du verbe *instruere* entrent ici en concurrence :
    1) équiper, outiller (sens classique) ; 2) former, instruire, enseigner (chez
    Quintilien, et ensuite chez les auteurs chrétiens : nombreuses références
    dans BLAISE 1954) ; 3) ranger en ordre de bataille, aligner pour la bataille

rieure, leur a donné pour soigner à nouveau et guérir leurs blessures des remèdes salutaires !

Exhortations de l'Écriture en faveur de l'aumône

4. Ainsi jamais, frères très aimés[1], les avertissements divins n'ont cessé ni omis de se faire entendre pour appeler toujours et partout dans les saintes Écritures tant anciennes que nouvelles le peuple de Dieu à pratiquer les œuvres de la miséricorde, et pour énoncer les exhortations solennelles[2] de l'Esprit-Saint engageant à faire des aumônes tout homme qui s'instruit[3] en vue du royaume du ciel[4]. Dieu donne à Isaïe cette mission et cet ordre : « Crie avec vaillance, et sans ménagement[5]. Comme

---

(sens classique). Le texte veut dire, d'un seul élan : « tout homme qui s'équipe / qui s'instruit / qui s'aligne pour réaliser son espérance du royaume du ciel ».

4. Dans la ligne des recherches d'A.F. Memoli sur le rythme de la phrase chez Cyprien (MEMOLI 1971), on peut proposer pour celle-ci la présentation suivante :

Numquam denique, fratres dilectissimi, admonitio diuina { cessauit
                                                          { et tacuit

quominus
    in scripturis sanctis { tam ueteribus
                          { quam nouis (14 syl.)
    semper
    et ubique ad misericordiae opera Dei populus prŏuŏcārētur (24 syl.)
    et { canente
       { atque exhortante } Spiritu sancto   (13 syl.)
    quisque ad spem regni caelestis instruitur facere eleemosynās iŭbērētur
                                        (24 syl., 23 si on prononce *elemosynas*).

Cette présentation fait apercevoir a) des redoublements expressifs, soit de caractère synonymique avec apport de nuances (*cessauit et tacuit, canente et exhortante, prouocaretur / iuberetur*), soit de caractère totalisant (*tam ueteribus quam nouis, semper et ubique*) ; b) le parallélisme presque isosyllabique des grandes divisions de la phrase ; c) la reprise rimée de la clausule classique crétique-trochée.

5. Pas plus en latin qu'en grec (μὴ φείσῃ) le verbe n'a de complément, et les deux interprétations « ne ménage pas (ta peine) » et « ne ménage pas (les destinataires de tes avertissements) » peuvent s'additionner.

tuba exalta uocem tuam, adnuntia plebi meae peccata ipso-
rum et domui Iacob facinora eorum [a]. Et cum peccata eis sua
10 exprobrari praecepisset cumque eorum facinora pleno indi-
gnationis inpetu protulisset dixissetque eos nec si orationibus et precibus et ieiuniis uterentur, satisfacere pro delictis
posse, nec si in cilicio et cinere uoluerentur, iram Dei posse
lenire, in nouissima tamen parte demonstrans solis eleemo-
15 synis Deum posse placari addidit dicens : *Frange esurienti*
panem tuum et egenos sine tecto induc in domum tuam. Si
uideris nudum, uesti et domesticos seminis tui non despicies.
Tunc erumpet temporaneum lumen tuum et uestimenta tua

---

8 exalta : exulta *P* ‖ tuam *<V>* + et *S D h p m e* ‖ 9 facinora : delicta *G*
‖ eis sua : ~ *h* ‖ 10 exprobrari : exprobari *p*   exprobare *m* ‖ 11 inpetu :
impetum *W¹ Y* ‖ dixisset : dixisse *R* ‖ -que : quo *G* ‖ 13 posse¹ : possent
p m ‖ uoluerentur : reuoluerentur *D*   uolutarentur *<V>* ‖ dei : domini *D*
h   *> p* ‖ 14 lenire : linire *P* ‖ 15 deum : dominum *h* ‖ placari : placare *p m*
‖ 16 tuam : tuum *Y* ‖ 17 uesti *<V>* + eum *a* ‖ domesticos : -icum *S* ‖ despicies : dispicies *S*   despicias *h* ‖ 18 temporaneum : temporanum *R¹ <V>*
ante tunc erumpet *transtulit a*

---

4. a. Is 58, 1

---

1. S'appuyant sur Isaïe, Cyprien développe ici le thème de la plus grande
efficacité de l'aumône, par rapport au jeûne et à la prière, pour la rémission du péché. Ce thème lui est commun avec l'*Homélie pseudo-clémen-*
tine (16, 4) datant du IIᵉ siècle. Dans le *De lapsis* (ch. 35) au contraire il
associe ces trois formes de pénitence, en accord avec Tb 12, 8 (d'après le
texte grec, et la traduction latine qu'il utilise, cf. *De dominica oratione* 32),
sans les hiérarchiser.

2. *Cilicium* traduit ici le mot grec σάκκος (cf. Is 58, 5 Lxx), d'ailleurs
d'origine sémitique. Ce mot grec désigne une étoffe grossière, faite de poil
de chèvre, bien plus rude que la laine, et par extension un vêtement fait de
cette étoffe. Le texte veut donc dire : « même en s'enroulant dans un man-
teau (ou une couverture) de crin et en se roulant dans la cendre ». Le verbe
uoluere ne peut désigner strictement la même action avec chacun des compléments.

3. « après qu'il a ordonné de leur reprocher leurs péchés » : c'est Dieu
qui donne cet ordre au prophète ; « il a exposé que les aumônes seules pou-

une trompette, hausse ta voix, annonce aux gens de mon peuple leurs péchés, à ceux de la maison de Jacob leurs forfaits [a]. » Et après qu'il a ordonné de leur reprocher leurs péchés, qu'il a mis en lumière leurs forfaits avec une violence toute chargée d'indignation, et déclaré que même les prières, les supplications, les jeûnes [1] ne pouvaient donner satisfaction pour leurs fautes, que même en se vêtant de crin [2] et en se roulant dans la cendre ils ne pouvaient fléchir la colère de Dieu, tout à la fin pourtant il a exposé que les aumônes seules pouvaient apaiser Dieu, en ajoutant ces paroles [3] : « Romps ton pain en faveur de l'affamé, et fais entrer dans ta maison les indigents qui n'ont pas de logis. Si tu vois un homme sans rien sur le dos, habille-le, et tu ne mépriseras pas ceux de ta maison et de ta race [4]. Alors ta lumière éclatera au matin, et tes vêtements d'un coup s'illu-

---

vaient apaiser Dieu, en ajoutant ces paroles » : apparemment c'est le prophète qui expose cela de Dieu. Entre le début et la fin de la longue phrase de Cyprien le sujet a donc changé, ce qui est peu cohérent. ~ Le texte même d'*Isaïe* présente déjà un tel problème, puisque jusqu'au verset 6 ce ch. 58 comporte des signes nets que c'est Dieu qui parle et dit « je », et qu'à partir du verset 8 « le Seigneur » est nommé plusieurs fois de manière objective hors de toute référence à la première personne, sans qu'entre les deux un changement de locuteur ait été le moins du monde explicité. La difficulté se sent peu dans le texte d'*Isaïe*, qui se déploie sur une suite de phrases indépendantes. Elle apparaît plus dans le résumé de Cyprien, constitué d'une seule phrase.

4. Dans ce passage d'*Isaïe*, tel qu'il se présente dans le texte grec et sa traduction latine, la solidarité avec l'indigent s'exerce à l'intérieur de la maison d'Israël, du peuple d'Israël. Le texte hébreu (« celui qui est ta chair », « ta propre chair ») est moins explicitement restrictif, et pourrait se référer à l'unité d'origine de toute l'humanité. ~ Commentant le même texte d'Isaïe dans le *De dominica oratione* 33, Cyprien interprète *domesticos seminis tui* en *domesticos Dei* lorsqu'il en tire une leçon pour son temps (*eleemosynas circa domesticos Dei facientes*). ~ Sur les variations possibles de son attitude personnelle à ce sujet, voir, dans la note complémentaire 15 (p. 190), nos remarques sur la précision *non suis tantum* d'un texte de Pontius.

cito orientur, et praeibit ante te iustitia et claritas Dei cir-
20 *cumdabit te. Tunc exclamabis, et Deus exaudiet te. Dum*
adhuc loqueris, dicet : Ecce adsum ᵇ.

5. Remedia propitiando Deo ipsius Dei uerbis data sunt,
quid deberent facere peccantes magisteria diuina docuerunt,
operationibus iustis Deo satisfieri, misericordiae meritis peccata purgari. Et apud Salomonem legimus : *Conclude elee-*
5 *mosynam in corde pauperis, et haec pro te exorabit ab omni*
malo ᵃ. Et iterum : *Qui obturat aures ne audiat inbecillum,*
et ipse inuocabit Deum et non erit qui exaudiat eum ᵇ. Neque
enim mereri Dei misericordiam poterit qui misericors ipse

---

19 orientur : oriuntur *W* operientur *m* operiuntur *p* operantur *a* ‖
praeibit : praehibit *D m* praecibit *R* ‖ iustitia + tua *G p* ‖ 20 exaudiet :
exaudiat *m* ‖ dum : cum *G* ‖ 21 dicet : dicit *R a* <*V*>

5. *F (ab l. 14 in die) S P W Y G D R h m p e a* <*V*>

1 propitiando : propiando *S* depropitiando *P²* propitiante *G²* propi-
ciandi *m p* ‖ deo : domino *D* deum *m p* ‖ 2 deberent : debent *m* ‖ docuerunt + scilicet *P²* ‖ 3 deo : domino *D h* ‖ 4 eleemosynam + in**** *G* ‖ 5
corde <*V*> : sinu *e* ‖ exorabit : -bunt *W Y* ‖ 6 iterum + dicit *D h* ‖ obturat : obdurat *W Y a* opturat *R¹ p* ‖ aures + suas *h* ‖ audiat : exaudiat *P* ‖
inbecillum : -illem *G R e a* ‖ 7 inuocabit : exorabit *m p* inuocauit *a* ‖
deum : dominum *D R h m p* ‖ 8 mereri : promereri *P* ‖ dei misericordiam
<*V*> : deum *S* ~ *R (qui ea uerba ante* mereri *ponit) m p*

---

b. Is 58, 7-9a.
5. a. Si 29, 12   b. Pr 21, 13

---

1. *orientur* : littéralement « s'élèveront (comme le soleil levant) »,
« apparaîtront ». Le sens premier du verbe est « s'élever, se lever », d'où
« naître, commencer ». Dans un contexte où est développée l'image de
l'éclatement de la lumière à l'aurore, on a traduit par « s'illumineront »,
d'autant plus que le verbe utilisé, *oriri*, est celui qui sert aussi à nommer le
lever du soleil, et au participe, *oriens*, à dire le lieu où apparaît sa lumière,
l'Orient ou Levant. ~ Dans les récits évangéliques de la Transfiguration,
les vêtements du Christ deviennent « blancs comme la lumière » (Mt 17, 2),
« d'un blanc qui lance des éclairs » (Lc 9, 29). Ici ces vêtements qui s'illuminent font contraste avec « même en se vêtant de crin et en se roulant

mineront[1], la justice ira devant toi et la clarté[2] de Dieu t'enveloppera. Alors tu crieras, et Dieu t'exaucera. Tandis que tu parleras encore, il dira : "Me voici"[b]. »

5. Les remèdes pour retrouver la faveur de Dieu nous ont été donnés par les paroles de Dieu même ; ce que doivent faire les pécheurs, les enseignements divins nous en ont instruits : de justes œuvres de bienfaisance satisfont Dieu, les mérites de la miséricorde effacent les péchés. Chez Salomon[3] nous lisons : « Enferme ton aumône dans le cœur du pauvre, et elle priera[4] pour t'affranchir de tout mal[a] », et encore : « Qui ferme ses oreilles pour ne pas entendre le faible, à son tour[5] lorsqu'il invoquera Dieu il ne trouvera personne qui l'écoute[b]. » Car on ne pourra mériter la miséricorde de Dieu sans avoir été miséricordieux soi-même, et l'on n'obtiendra rien de la divine bienveillance par ses

dans la cendre ». ~ Reste que ce texte de Cyprien repose sur une lecture erronée du passage dans la Bible grecque : voir la note complémentaire 5, p. 171 s.

2. Δόξα est ici traduit par *claritas*, et non par *gloria*. On a cru devoir respecter cette différence dans la traduction. C'est à *gloria* que recourt la Vulgate pour ce passage. *Claritas* est une seule autre fois présent dans notre traité, au ch. 23, là encore dans une citation scripturaire (Mt 25, 31 grec δόξα ; Vulgate *maiestas*). Sur δόξα, *claritas* et *gloria* chez Cyprien, voir la note complémentaire 6, p. 172 s.

3. La tradition antique attribuait au roi Salomon l'ensemble des livres de sagesse de la Bible : *Proverbes, Ecclésiaste* (ou *Qoheleth*), *Sagesse, Ecclésiastique (Ben Sira* ou encore *Siracide*), et *Cantique des cantiques*.

4. Le thème de la prière, prière du pauvre pour son bienfaiteur et prière du pécheur – qui ne peut être exaucé que s'il a été miséricordieux et a pratiqué l'aumône – fait l'unité de plusieurs des citations scripturaires de ce chapitre, et amène Cyprien à interpréter selon le même éclairage celles qui n'en parlent pas explicitement, comme le prouve la présentation qu'il fait du verset du Ps 40 : *Quod item in Psalmis Spiritus sanctus declarat.*

5. *et ipse ... et* est calqué sur le grec καὶ αὐτὸς ... καὶ. *Deum*, explicite dans la Bible de Cyprien, ne répond à aucun mot du texte reçu de la Septante.

non fuerit aut inpetrabit de diuina pietate aliquid in precibus
10 qui ad precem pauperis non fuerit humanus.

Quod item in Psalmis Spiritus sanctus declarat et probat
dicens : *Beatus qui intellegit super egentem et pauperem, in
die malo liberabit illum Deus* [c]. Quorum praeceptorum
memor Daniel cum rex Nabuchodonosor aduerso somnio
15 territus aestuaret, auertendis malis ac diuina ope inpetranda
remedium dedit dicens : *Propterea, rex, consilium meum
placeat tibi, et peccata tua eleemosynis redime et iniustitias
tuas miserationibus pauperum, et erit Deus patiens peccatis
tuis* [d]. Cui rex non obtemperans aduersa quae uiderat et
20 infesta perpessus est : quae euadere et uitare potuisset, si
peccata sua eleemosynis redemisset.

Raphael quoque angelus paria testatur et ut eleemosyna
libenter ac largiter fiat hortatur dicens : *Bona est oratio cum
ieiunio et eleemosyna, quia eleemosyna a morte liberat et
25 ipsa purgat peccata* [e]. Ostendit orationes nostras ac ieiunia
minus posse, nisi eleemosynis adiuuentur, deprecationes

---

9 inpetrabit : -etrauit *a¹* ‖ 11 item : idem *D h a* ‖ et + d *Y* ‖ et probat
> *G* ‖ 12 beatus + uir *D* ‖ intellegit : -ligit *R h e* ‖ egentem <*V*> : egenum
P D h m p ‖ pauperem] in *hic rursus inc. F* ‖ 13 malo : mala *F G* ‖ illum
<*V*> : eum *p¹ e a* ‖ deus <*V*> : dominus *R h a* ‖ 15 territus > *G* ‖ aestua-
ret + et *S R* ‖ ac : ad *R¹* [ac *R²* ?] *h m* + de <*V*> ‖ diuina : -nam *h m p* ‖
ope : opera *F¹* opem *h m p* ‖ inpetranda : -ndam *h m p* ‖ 17 et¹ > *G* ‖ 18
tuas > *Y* ‖ patiens <*V*> : paciens *D* parcens *h* ‖ 20 euadere et uitare : uitare
et euadere *h* ‖ 21 sua > *G* ‖ redemisset : redimisset *S G* ‖ 22 Raphael – eleemosynis *(l. 26)* > *F¹* ‖ 22 paria : > *D* + tobie *e* ‖ 23 est + inquit *e* ‖ 24
eleemosyna¹ – nisi *(l. 26)* > *Y* ‖ eleemosyna quia > *W* ‖ quia : quoniam *F
G* ‖ et > *G a* ‖ 25 peccata : a peccatis <*V*>

---

c. Ps 40, 2   d. Dn 4, 27 Théodotion   e. Tb 12, 8-9.

---

1. Sens instrumental de *in* + ablatif (voir p. 126, n. 1, sur *in opere salu-*
tari).

2. La construction intransitive *qui intellegit super* (littéralement « qui se
rend compte au sujet de ») est calquée sur le grec ὁ συνίων ἐπί. L'emploi
de *super*, accompagné de l'ablatif ou de l'accusatif, dans le sens de *de*, est

prières[1] si devant la prière du pauvre on ne s'est pas montré humain.

C'est de même cette vérité que dans les psaumes l'Esprit-Saint manifeste et authentifie en ces termes : « Heureux celui qui sait voir les besoins de l'indigent et du pauvre[2], au jour du malheur Dieu le libérera[c]. » Daniel[3] se souvenait de ces préceptes lorsque, répondant au roi Nabuchodonosor qu'un rêve fâcheux bouleversait de terreur, il lui donna pour détourner le malheur tout en obtenant le secours de Dieu[4] le remède que voici : « Ainsi donc, Roi, agrée mon conseil, rachète tes péchés par des aumônes et tes injustices en faisant miséricorde aux pauvres, et Dieu sera patient devant tes péchés[d]. » Le roi ne lui obéit pas, et il eut à endurer les disgrâces et les tourments dont il avait eu la vision, et auxquels il aurait pu se soustraire et se dérober, s'il avait racheté ses péchés par des aumônes.

L'ange Raphaël lui aussi donne un semblable témoignage, et exhorte à faire l'aumône de bon cœur et généreusement, en ces termes : « Bonne est la prière qu'accompagnent le jeûne et l'aumône, car l'aumône délivre de la mort[5] et c'est elle qui efface les péchés[e]. » Il montre que nos prières et nos jeûnes manquent de puissance sans l'aide des aumônes, que

déjà courant chez Tertullien (divers exemples relevés par HOPPE 1903, p. 86-87).

3. Dans cette seconde section du *De opere et eleemosynis*, qui commence avec le ch. 4, toutes les citations bibliques ont été tirées jusqu'ici de l'*Ad Quirinum*. Avec le texte de *Daniel*, Cyprien s'affranchit de son recueil familier, et jusqu'à la fin de la section il mêlera des textes nouveaux à d'autres qu'il continue à y puiser.

4. Sur cette traduction, voir la note complémentaire 7, p. 173 s.

5. La *Lettre* 55, 22, 1, cite elle aussi, quoique plus brièvement (*eleemosyna a morte liberat*), ce texte de *Tobie*. « L'aumône délivre de la mort » n'est cité avant Cyprien que par POLYCARPE DE SMYRNE (*Aux Philippiens* 10, 2). ~ Dans le *De dominica oratione*, au ch. 32, c'est au contraire seulement *Bona est oratio cum ieiunio et eleemosyna* qui est retenu, au service de la thèse de la complémentarité de la prière et de l'aumône, thèse développée dans les ch. 32 et 33.

solas parum ad inpetrandum ualere, nisi factorum et operum accessione satientur. Reuelat angelus et manifestat et
firmat eleemosynis petitiones nostras efficaces fieri, eleemo-
30 synis uitam de periculis redimi, eleemosynis a morte animas
liberari.

6. Nec sic, fratres carissimi, ista proferimus, ut non quod
Raphael angelus dixit ueritatis testimonio conprobemus. In
Actis apostolorum facti fides posita est, et quod eleemosynis
non tantum a secunda sed et a prima morte animae liberen-
5 tur, gestae et inpletae rei probatione conpertum est. Tabitha
operationibus iustis et eleemosynis praestandis plurimum
dedita cum infirmata esset et mortua, ad cadauer exanimae

27 nisi : ni *F* si *S* ‖ factorum : satisfactorum *G* ‖ et operum > *R* ‖ 28
satientur : satiantur *W* sacientur *p e a* socientur *D* saginentur *R*
adiuuentur *h* ‖ 29 petitiones – eleemosynis (*l. 29-30*) > *G* ‖ nostras : uestras *D* ‖ 29-30 eleemosynis – redimi > *R* ‖ 30 periculis <*V*> : periculo *F* ‖
redimi + et *h* ‖ a morte animas <*V*> : animas a morte *G e* ‖ animas > *a*

6. *F S P W Y G D R h m p e a* <*V*>
1 carissimi : dilici *S* dilectissimi *G m* ‖ 2 conprobemus : conprobetur
m p ‖ 3 Actis <*V*> : hactis *D* actus *h* actibus *m* ‖ 4 et > *S W R m p e a*
‖ liberentur : liberarentur *Y a (qui* animae *post* liberarentur *posuit)* ‖ 5
inpletae : impleta *S* ‖ rei : re *S* ‖ conpertum : testatum *G* ‖ Tabitha + ab *R*
‖ 6 operationibus : orationibus *G e a* operibus *p* ‖ plurimum : plurimis *G*
‖ 7 et : ac *e* ‖ exanimae : exanime *F P W Y G D h p e*

1. *eleemosynis a morte animas liberari*, ici et au ch. 6 (l. 3-5), reprend la
citation de Tb 12, 9 en ajoutant *animas*, et en mettant *eleemosyna* au pluriel selon l'usage qui est celui de Cyprien contrairement à celui de sa Bible
latine (Introduction II, p. 24).
2. Traduire ici par « les âmes » introduirait une dichotomie entre âme
et corps, contredite par la suite du texte, où la première mort dont les *animae* sont dites délivrées affecte d'abord le corps, et où la seconde, celle de
la condamnation lors du jugement, concerne selon Ap 20, 13-15 les morts
ressuscités. L'*anima* (étymologiquement : l'air respiré, sans lequel il n'y a
pas de vie humaine ou animale), c'est le principe de la vie individuelle, soli-
dairement en ce qu'elle a de corporel et en ce qu'elle présente d'immaté-
riel. Le sens d'âme séparée du corps, par exemple pour désigner les âmes
séjournant dans les enfers (CICÉRON, *In Vat.* 14 ; VIRGILE, *Aen.* 4, 242),

les supplications seules ont trop peu de force pour se faire exaucer sans la plénitude que leur ajoutent des actes et des œuvres de bienfaisance. L'ange dévoile clairement et fermement que les aumônes rendent efficaces nos demandes, que les aumônes rachètent une vie en péril, que les aumônes délivrent nos âmes de la mort[1].

6. Nous ne présentons pas, frères très chers, cette doctrine, sans confirmer les paroles de l'ange Raphaël par une attestation de leur vérité. Dans les *Actes des apôtres* se trouve déposée l'assurance que donne un fait, et la certitude que les aumônes ne délivrent pas seulement nos vies[2] de la seconde mort mais aussi de la première y est établie par la preuve d'un événement effectivement accompli. Tabitha[3], qui s'était consacrée très activement à la pratique d'une juste bienfaisance et à la distribution d'aumônes, était tombée malade et était morte : elle ne respirait plus[4] lorsqu'on appela Pierre

s'est développé dès le latin classique, mais sans éliminer ni même dominer le sens fondamental.

3. Ici commence un récit dans lequel Cyprien réécrit complètement le passage des *Actes des apôtres* qu'il reprend : voir la note complémentaire 8, p. 174 s.

4. Faut-il lire *exanimae* (littéralement : on appela Pierre auprès du cadavre de celle qui ne respirait plus) ou *exanime* (... auprès du cadavre qui ne respirait plus) ? Le témoignage des manuscrits est difficile à interpréter. Sur les quatre qui donnent *exanimae*, deux, *R* et *m*, écrivent l'un *salubrae* pour *salubre* au ch. 3, et l'autre *inpigrae* pour *inpigre* sur la même ligne qu'*exanimae*, avec la même abréviation de *ae* qui a servi pour *animae* ou *gestae* un peu plus haut. Mais parmi ceux qui donnent *exanime*, *F*, *Y*, *G* et *h* portent des confusions nettes dans les lignes précédentes, en terminant par un simple *e* des mots tels qu'*animae*, *gestae* ou *inpletae*, alors qu'en d'autres passages ils n'ignorent pas *ae*, ou *e* cédillé valant *ae*. M. Simonetti, tout en marquant quelque hésitation, a suivi Hartel et adopté *exanimae*. ~ Peut-on objecter à Hartel et Simonetti l'usage constant de Cyprien en faveur de la déclinaison en *-is*, *-e*, de préférence à celle en *-us*, *-a*, *-um*, pour les adjectifs *unianimis*, *exanimis*, *inanimis* ? Il faudrait alors considérer non seulement les décisions des éditeurs, mais aussi les témoignages des apparats critiques, et tenir compte du fait que la déclinaison en *-us*, *-a*, *-um*, a pu être préférée ici parce qu'elle seule distingue le féminin.

Petrus accitus est. Qui cum inpigre pro apostolica humani-
tate uenisset, circumsteterunt eum uiduae flentes et rogantes,
10 pallia et tunicas et omnia illa quae prius sumpserant indumenta monstrantes nec pro defuncta suis uocibus sed ipsius
operibus deprecantes. Sensit Petrus impetrari posse quod sic
petebatur nec defuturum Christi auxilium uiduis deprecan-
tibus, quando esset in uiduis ipse uestitus [a]. Cum itaque
15 genibus nixus orasset et uiduarum ac pauperum idoneus aduoca-
tus legatas sibi preces ad Dominum pertulisset, conuersus ad
corpus quod in tabula iam lotum iacebat, *Tabitha,* inquit,
exsurge in nomine Iesu Christi [b]. Nec defuit Petro quominus
statim ferret auxilium qui in euangelio dari dixerat quicquid
20 fuisset eius nomine postulatum [c]. Mors itaque suspenditur
et spiritus redditur et mirantibus ac stupentibus cunctis ad
hanc mundi denuo lucem rediuiuum corpus animatur. Tantum
potuerunt misericordiae merita, tantum opera iusta ualue-
runt. Quae laborantibus uiduis largita fuerat subsidia uiuendi
25 meruit ad uitam uiduarum petitione reuocari.

7. Itaque in euangelio Dominus doctor uitae nostrae et
magister salutis aeternae uiuificans credentium populum et

8 accitus : accersitus *F* acci//tus *G* ‖ 9 et rogantes > *R* ‖ 10 pallia :
pallea *F* palea *W¹* palea* *Y* ‖ tunicas et : tunica sed *P* ‖ 11 pro > *m p* ‖
defuncta : defunctam *m* ‖ suis > *F* ‖ ipsius : ipsis *F* ‖ 12 impetrari : -trare *D*
‖ 14 esset in uiduis ipse uestitus : essent induuiis ipsae uestitae *a* ‖ 15 genibus : genuis *G* ‖ nixus : nixis *m p* <*V*> ‖ 16 legatas : deleg- *a* ‖ sibi > *e* ‖
dominum <*V*> : deum *R* ‖ pertulisset : prot- *G* ‖ 17 tabula : -lam *S* ‖ iacebat + dixit *R* ‖ 18 exsurge : exurge *W D h m p a Sim* ‖ nomine + domini *S*
a ‖ Iesu > *G* ‖ Iesu Christi : ~ *D h* <*V*> ‖ 19 ferret : perferret *F* ‖ auxilium
+ dei *R* ‖ euangelio + suo *G h* ‖ 20 fuisset + in *R e* ‖ 21 ac stupentibus ~
cunctis *P* ‖ 22 hanc : hac *S* ‖ 23 opera iusta : operae iustae *F²* opera iustitiae
e ‖ 24 fuerat : fuerant *F* ‖ ad : ac *F¹* ad hanc *F²* ‖ 25 petitione : -ionem *R*

7. *F S P W Y G D R h m p e a (usque* aeternae, *l. 2, postea deest)* <*V*>
1 in euangelio ~ dominus *D* ‖ 2 aeternae [uiuificans *hic des. a* ‖ credentium populum > *S*

6. a. Cf. Mt 25, 36.40 b. Ac 9, 40b c. Cf. Jn 16, 23.

auprès du cadavre. Pierre, montrant les sentiments humains de l'apôtre, était arrivé sans tarder, et les veuves l'entourèrent en pleurant et en le priant de faire quelque chose : elles lui présentaient les manteaux, les tuniques, tous les vêtements qu'elles avaient autrefois reçus, et elles suppliaient en faveur de la défunte non pas par leurs paroles, mais par ses œuvres à elle. Pierre comprit qu'il était possible d'obtenir ce qui était ainsi demandé, et que le secours du Christ ne manquerait pas à la supplication des veuves, puisqu'en leur personne c'était lui qui avait reçu ces vêtements [a]. C'est pourquoi, après avoir prié à genoux, après avoir en bon défenseur des veuves et des pauvres porté devant le Seigneur les prières qui lui avaient été confiées, il se tourna vers le corps qui gisait déjà lavé et exposé [1], et il dit : « Tabitha, debout, au nom de Jésus-Christ [b] ! » Et il ne manqua pas d'apporter aussitôt à Pierre son secours, celui qui avait dit dans l'Évangile que serait accordé tout ce qui serait réclamé en son nom [c][2]. Ainsi la mort en elle est tenue en arrêt, le souffle lui est rendu ; tous s'étonnent et restent interdits de voir revenir à la lumière de ce monde-ci un corps qui reprend vie et qui s'anime. Voilà ce qu'ont pu les mérites de la miséricorde, voilà ce que les œuvres d'une juste bienfaisance ont obtenu. Elle avait prodigué aux veuves en difficulté son soutien pour les faire vivre, elle a mérité d'être rappelée à la vie sur la requête des veuves.

7. C'est pourquoi dans l'Évangile le Seigneur, éducateur de notre vie et maître de salut éternel [3], lui qui donne la vie

---

1. Littéralement : « qui gisait déjà lavé sur la planche ». Une large planche surélévée soutient l'humble lit de parade sur lequel est exposé le cadavre de Tabitha dans une salle de la maison jusqu'à l'heure du cortège des funérailles.

2. Sur cette traduction, voir la note complémentaire 9, p. 177 s.

3. *Doctor* et *magister* sont également associés lorsque dans le *De dominica oratione* (8, 101) Cyprien reconnaît dans le Christ, qui apprend aux hommes à prier en disant « Notre (et non pas : Mon) Père », un *pacis doctor atque unitatis magister*.

uiuificatis consulens in aeternum inter sua mandata diuina
et praecepta caelestia nihil crebrius mandat et praecipit
5 quam ut insistamus eleemosynis dandis nec terrenis posses-
sionibus incubemus sed caelestes thensauros potius recon-
damus. *Vendite*, inquit, *res uestras et date eleemosynam* [a], et
iterum : *Nolite uobis condere thensauros super terram, ubi
tinea et comestura exterminat et ubi fures effodiunt et furan-*
10 *tur. Thesaurizate autem uobis thensauros in caelo, ubi neque*

---

3 uiuificatis : > S   uiuificantes *m p* ‖ 3-4 diuina et : ~ G ‖ 4 crebrius :
celebrius *e* ‖ 5 insistamus : sistamus S ‖ 7 eleemosynam : -na Y   -nas G ‖
8 super terram : in terra G ‖ 9 tinea : tenea S P[1]   tinia <V> ‖ exterminat :
-nant <V> ‖ 10 thesaurizate – effodiunt *(l. 11)* > G ‖ thensauros : -rum R

---

7. a. Lc 12, 33a

---

1. Reprise, mais avec une application plus particulière à la prédication
et aux enseignements du Christ, de thèmes déjà développés au ch. 1.
Viuificans est ici l'écho de *uiuificandis nobis* (l. 4) et *uiuificatis consulens*
résume *ut homini qui redemptus est reseruando plenius consulatur* (l. 12-
13).

2. Dans le *Pro Cluentio* de CICÉRON (72), *qui pecuniae incubaret* est
pris de manière pleinement métaphorique, alors que dans les *Géorgiques*
de VIRGILE (2, 507) *condit opes alius, defossoque incubat auro* pourrait à la
rigueur s'interpréter littéralement. L'association du verbe *incubare* ou d'un
synonyme avec un complément désignant une forme ou l'autre de richesse
est pleinement attestée dans la littérature classique. Présente chez HORACE
(*Satires* 1, 1, 71 : *congestis undique saccis indormis*), SÉNÈQUE (*De ira* 1, 21,
2 : *auaritia ... aceruis auri argentique incubat*) et MARTIAL (12, 53, 3), alors
qu'elle semble absente de la Bible, la métaphore connaîtra une fortune certaine chez les chrétiens, de Lactance et Hilaire à Ambroise, Augustin,
Salvien. En écrivant : *multi defosso auro incubant ; aurum eorum sub terra,*
et cor eorum sub terra (*De Iacob* 2, 23), AMBROISE associe au souvenir du
vers des *Géorgiques* une allusion au texte de Mt 6, 21 que Cyprien cite
quelques lignes plus loin. ~ Dans le ch. 12 de l'*Ad Donatum*, où se rencontrent également le verbe *incubare* et l'allusion au trésor enterré, Cyprien
avait déjà traité abondamment le thème de la vanité des richesses, mais en
s'appuyant alors uniquement sur le souvenir de nombreux textes classiques
(références dans MOLAGER 1982, p. 106-108).

3. L'expression « les trésors du ciel », *caelestes the(n)sauri*, se retrouve
au ch. 22, l. 21, du *De opere*, ainsi que dans le *De mortalitate* (ch. 26), le

au peuple des croyants et après leur avoir donné la vie veille
à jamais sur eux [1], entre autres recommandations divines et
prescriptions célestes ne nous recommande et ne nous pres-
crit rien plus fréquemment que de nous attacher à donner
des aumônes, que de ne pas couver [2] notre fortune de la
terre, mais de mettre plutôt en réserve les trésors du ciel [3].
« Vendez, dit-il, vos biens, et donnez l'aumône [a]. » Et
encore : « N'allez pas mettre à l'abri vos trésors sur la terre,
où les mites et la rouille font des ravages, où les voleurs
déterrent [4] et volent. Amassez-vous des trésors dans le ciel,

De bono patientiae (ch. 13) et le *De zelo et liuore* (ch. 16). Elle dérive de
deux passages évangéliques : « faites-vous un trésor / des trésors dans les
cieux / dans le ciel » (Lc 12, 33 = Mt 6, 20) et « tu auras un trésor dans le
ciel / dans les cieux » (Mc 10, 21 = Lc 18, 22 = Mt 19, 21). En plus des citations proprement dites de l'un ou l'autre de ces textes, « un trésor / des
trésors dans le ciel » est utilisé une fois par TERTULLIEN (*Marc.* 4 = CCL
1, p. 544) et plusieurs fois par Cyprien (*De ecclesiae catholicae unitate* 26 ;
De lapsis 11 ; *De dominica oratione* 20). « Un trésor dans le ciel » n'est
encore qu'un fragment de phrase non autonome, où « dans le ciel » est
complément du verbe (« faites-vous », « tu auras », « en mettant en
réserve ») et ne constitue pas avec « un trésor » une unité distincte dans la
phrase. En passant – pour la première fois dans le *De mortalitate,* si je ne
me trompe – à *caelestes thesauri,* Cyprien érige en concept ce qui n'était
jusque-là qu'un rapprochement de termes dans un énoncé plus vaste. ~
L'expression, sous la forme *Ad caelestes thesauros* (*De opere* 22 ; *De mortalitate* 26), sert de titre emblématique à l'étude de R. Cacitti sur l'exégèse
cyprianique de la péricope du jeune homme riche, en fait sur les richesses,
la pauvreté, la dépossession et la rétribution finale dans tout ce qu'a écrit
Cyprien (CACITTI 1991 et 1993).

4. *effodiunt,* littéralement « extraient en creusant », traduit, et trahit, le
grec διορύσσουσιν, « passent à travers en creusant », c'est-à-dire « percent
les murs ». Comme l'explique la note de la *TOB* pour ce passage de
Matthieu, c'est une « allusion aux murs en torchis de la maison rurale pales-
tinienne ou à un trou creusé sous le mur pour pénétrer dans la maison ».
Le traducteur latin, vivant dans une civilisation différente, n'a pas compris
et s'est référé à l'usage d'enterrer son trésor, attesté par PLAUTE (*Aulularia*
5 : *Thesaurum ... in medio foco defodit*) et par VIRGILE (*Géorg.* 2, 507, cité
ci-dessus note 2). La Vulgate a gardé ici *effodiunt,* alors qu'en Mt 24, 43 la
mention explicite d'une maison (διορυχθῆναι τὴν οἰκίαν) a obligé à traduire exactement : *domum perfodi.*

tinea neque comestura exterminat et ubi fures non effodiunt.
Vbi enim fuerit thensaurus tuus, illic erit et cor tuum [b].
Et cum obseruata lege perfectum et consummatum uellet
ostendere, *Si uis,* inquit, *perfectus esse, uade et uende omnia*
15 *tua et da egenis, et habebis thensaurum in caelo, et ueni*
sequere me [c]. Item alio loco negotiatorem caelestis gratiae et
comparatorem salutis aeternae distractis omnibus rebus suis
pretiosam margaritam, hoc est uitam aeternam Christi
cruore pretiosam, de quantitate patrimonii sui dicit debere
20 mercari. *Simile est,* inquit, *regnum caelorum homini nego-*
tianti quaerenti bonas margaritas. Vbi autem inuenit pre-
tiosam margaritam, abiit et uendidit omnia quae habuit et
emit illam [d].

8. Eos denique et Abrahae filios dicit quos in iuuandis
alendisque pauperibus operarios cernit. Nam cum Zachaeus
dixisset : *Ecce dimidium ex substantia mea do egenis et si cui*

11 tinea : tineae *S* tenia *P* tinia <*V*> ‖ effodiunt + et furantur *R h e*
<*V*> ‖ 12 et ¹ > *P* ‖ 13 perfectum et consummatum ~ uellet *G* ‖ et > *h* ‖
uellet : uolet *D* ‖ 14 inquit > *R* ‖ et > *h* ‖ 15 tua : quae possides *m p* ‖ egenis <*V*> : pauperibus *F R* ‖ caelo : caelis *R p m* ‖ 17 suis > *G* ‖ 19 cruore :
cruorem *S R* ‖ pretiosam : praeparatam *R* ‖ de : da *G* ‖ 20 negotianti : nego-
tiaturi *F²* -iatori *Y D* ‖ 21 bonas margaritas : bonam margaritam *R m p* ‖
21-22 ubi autem inuenit pretiosam margaritam : inuenta autem praeciosa
margarita *m p* ‖ inuenit : inuenerit *P* ‖ 22 abiit : habiit *Y* ‖ quae <*V*> : qua
p ‖ 23 illam > *Y*

8. *F S P W Y G D R h m p e* <*V*>
1 in > *S R ¹* ‖ iuuandis : adiuuandis *D m p* tutandis *R* ‖ 3 cui > *G*

b. Mt 6, 19-21   c. Mt 19, 21   d. Mt 13, 45-46.

1. Selon S. DELÉANI (1979, p. 77, et p. 86, n. 400) l'emploi du qualificatif *consummatus*, fréquemment utilisé lorsqu'il s'agit de martyrs, a pour
effet, ici et dans d'autres textes, d'assimiler le dépouillement des biens au
martyre (cf. *De dominica oratione* 20, l. 377).
2. Le texte évangélique vient de noter « tu auras un trésor dans le ciel ».
Mais au-delà de la citation, c'est tout le chapitre qui évoque le ciel et la vie
éternelle. Dès lors « suis-moi » ne veut pas dire seulement « viens à ma suite

où ni les mites ni la rouille ne font de ravages, où les voleurs ne déterrent rien. Car là où se trouvera ton trésor, là sera également ton cœur [b]. » Et voulant montrer ce qui, une fois que déjà on observe la Loi, constitue la perfection achevée [1], il dit : « Si tu veux être parfait, va vendre tout ce que tu as, et donne cela aux gens dans le besoin : tu auras un trésor dans le ciel ; alors viens, suis-moi [c2]. » Il dit de même ailleurs que l'homme qui veut acquérir la grâce du ciel [3] et se procurer le salut éternel doit se défaire de tous ses biens et acheter avec ce que vaut son patrimoine la perle de grand prix, autrement dit la vie éternelle dont le sang du Christ a payé le prix [4]. « Le royaume des cieux, dit-il, ressemble à ceci : un marchand cherchait à acquérir de belles perles ; lorsqu'il en a trouvé une de grand prix, il est parti vendre tout son bien, et il l'a achetée [d]. »

8. Enfin aussi, il déclare fils d'Abraham ceux qu'il voit à l'œuvre pour donner aide et nourriture aux pauvres. Car, à Zachée qui avait dit : « Voici, je donne aux pauvres la moi-

et sois mon disciple », mais aussi « suis-moi ainsi jusqu'aux demeures éternelles ». Sur la valeur à donner à l'expression « suivre le Christ », c'est l'ensemble du livre de S. Deléani, *Christum sequi*, qu'il faut consulter (DELÉANI 1979).

3. En *gratia* se superposent des valeurs classiques du mot (faveur, bonnes grâces, relations de bonne intelligence, amitié) et son emploi proprement théologique, déjà bien attesté chez TERTULLIEN (par exemple en *Herm.* 5, 2 : *dei erimus ... sed et gratia ipsius (sc. Dei), non ex nostra proprietate*), même si R. Braun s'est abstenu d'étudier *gratia* dans son livre sur le vocabulaire doctrinal de Tertullien (BRAUN 1977, p. 627). Dans le livre très riche de Cl. Moussy sur *gratia* (MOUSSY 1966), les p. 445-473 traitent plus particulièrement de l'emploi chrétien du mot. ~ De plus la *gratia caelestis* est à la fois la faveur, la grâce octroyée par le ciel, et la grâce, la faveur d'obtenir l'entrée dans le ciel. Enfin dans les groupes « *negotiatorem caelestis gratiae* » et « *comparatorem salutis aeternae* », le strict parallélisme phonétique et morphologique des fins de mots fait contraste avec le chiasme syntaxique qui affecte l'ordre des adjectifs et noms dans les groupes au génitif.

4. Voir la note complémentaire 2, p. 164 s.

quid fraudaui quadruplum reddo, respondit Iesus quia :
5 *Salus hodie domui huic facta est, quoniam et hic filius est*
Abrahae [a]. Nam si *Abraham credidit Deo et deputatum est*
ei ad iustitiam [b], utique qui secundum praeceptum Dei eleemosynas facit Deo credit, et qui habet fidei ueritatem seruat
Dei timorem ; qui autem timorem Dei seruat in miseratio-
10 nibus pauperum Deum cogitat. Operatur enim ideo quia
credit, quia scit uera esse quae praedicta sunt uerbis Dei nec
scripturam sanctam posse mentiri, arbores infructuosas, id
est steriles homines, excidi et in ignem mitti [c], misericordes
ad regnum uocari. Qui et alio in loco operarios et fructuo-
15 sos fideles appellat, infructuosis uero et sterilibus fidem
derogat dicens : *Si in iniusto mamona fideles non fuistis,*

---

4 quadruplum reddo : ~ *e* ‖ respondit : -dens *G* ‖ Iesus + et dixit *R* ‖ 5
domui : domi *R* ‖ huic : h*uic *Y* huius *R* ‖ quoniam : quia *R h* ‖ 5-6 est
Abrahae : ~ *e* ‖ 6 deo : domino *h* ‖ deputatum <*V*> : reputatum *F S D m*
p ‖ 7 ei : illi *S* ‖ dei : domini *W* ‖ 8 deo : domino *h* ‖ credit et : credet *F* ‖
fidei : fidem et *R* ‖ 9 dei [1] : domini *D h* ‖ qui autem timorem dei seruat :
quia *S* ‖ timorem dei : ~ *W G h m p* ‖ miserationibus : -tione *G* ‖ 10 deum :
deo *R m p* ‖ cogitat : fenerat *m p* ‖ ideo : in deo *S* deo *D* ‖ 11 praedicta :
praecepta *G R* ‖ uerbis : uerbo *m p* ‖ 12 sanctam <*V*> > *S* ‖ arbores + inquit
R ‖ 13 ignem : igne *p* ‖ 14 regnum + caelorum *h* ‖ alio in : ~ *D m p* ‖ in
> <*V*> ‖ fructuosos + et *m p* ‖ 15 fideles : -lis *S* ‖ uero : > *m* enim *R* ‖ et
sterilibus > *P W Y* ‖ 16 in iniusto : iniusto *uel* in iusto *S G R h[1] m p[1] e* ‖
mamona : -nae *Y G* -ne *R* ‖ fideles : -lis *S*

---

8. a. Lc 19, 8-9 b. Ga 3, 6 ; Rm 4, 3 ; Gn 15, 6 c. Cf. Mt 3, 10b

---

1. Dans la langue courante du vingtième siècle, « croire en Dieu », c'est
croire que Dieu existe, n'être ni athée ni agnostique, c'est en somme *cre-*
dere Deum esse, et non pas *credere Deo,* « se fier à Dieu, croire en ce que
dit Dieu », plus brièvement « croire Dieu », conformément au sens constant
de *credere* + datif. La traduction « croire en Dieu », qui peut paraître évidente, aurait induit un faux-sens chez le lecteur non averti de la théologie.
2. *Abraham credidit Deo, et deputatum est ei ad iustitiam* est une véritable citation de Ga 3, 6 (ou de Rm 4, 3). Paul lui-même reprend ici Gn
15, 6 à peine modifié. La traduction latine qu'utilise Cyprien donne
d'ailleurs en *Ad Quirinum* 1, 5 le même texte pour la *Genèse* et pour
l'épître aux *Galates.* La foi d'Abraham, dans cet épisode, consiste dans la
confiance qu'il manifeste dans la réalisation des promesses de descendance

tié de ma fortune, et si j'ai volé quelqu'un, je lui rends quatre fois autant », Jésus répondit : « Aujourd'hui, le salut s'est réalisé pour cette maison, puisque cet homme lui aussi est un fils d'Abraham ᵃ. » En effet, si « Abraham a cru Dieu [1] et si sa foi lui a été comptée comme justice ᵇ[2] », assurément faire des aumônes en vertu d'un précepte de Dieu c'est croire Dieu, et avoir en vérité cette foi c'est garder la crainte de Dieu ; et celui qui garde cette crainte de Dieu pense à Dieu lorsqu'il fait acte de miséricorde envers les pauvres. Car s'il pratique la bienfaisance, c'est parce qu'il croit, parce qu'il sait que sont vrais les arrêts prononcés par Dieu et que la sainte Écriture ne peut mentir, que les arbres sans fruit, autrement dit les hommes au cœur stérile, sont abattus et jetés au feu ᶜ[3] et que les miséricordieux sont appelés au Royaume [4]. Ailleurs encore il appelle fidèles les gens qui exercent la bienfaisance et qui portent du fruit, et dénie la foi aux cœurs stériles et sans fruit, en ces termes : « Si dans les affaires sans justice de Mammon vous n'avez pas été

que Dieu vient de lui faire. ~ En rapprochant ce verset de la *Genèse* de la parole du Christ à Zachée, Cyprien enrichit les deux textes : ce n'est pas seulement la générosité de Zachée qui lui vaut d'être reconnu fils d'Abraham, c'est sa foi – on croirait que Cyprien ne veut laisser passer aucune occasion de rappeler que les œuvres naissent de la foi –, et la promesse d'innombrables fils faite à Abraham déborde une interprétation purement familiale et ethnique, comme déjà chez Paul mais un peu différemment, pour s'élargir à tous ceux qui pratiquent le bien, l'aumône par exemple, en vertu de préceptes acceptés dans la foi.

3. *excidi et in ignem mitti* transpose dans une infinitive la citation littérale de Mt 3, 10 : *exciditur et in ignem mittitur*. Il s'agit d'une parole non de Jésus, mais de Jean-Baptiste.

4. Les miséricordieux sont présents dans les Béatitudes (Mt 5, 7), où ils reçoivent la promesse qu'ils obtiendront miséricorde. C'est des pauvres en esprit (5, 3) et des victimes de persécutions (5, 10) qu'il est dit que le royaume des cieux leur appartient. L'expression « appeler au royaume » (de Dieu) vient de 1 Th 2, 12. Ici encore quelques mots condensent l'influence de plusieurs passages scripturaires.

quod est uerum quis credet uobis ? Et si in alieno fideles non
fuistis, uestrum quis dabit uobis ᵈ *?*

9. Sed uereris et metuis ne si operari plurimum coeperis
patrimonio tuo larga operatione finito ad penuriam forte
redigaris : esto in hac parte intrepidus, esto securus. Finiri
non potest unde in usus Christi impenditur, unde opus cae-
5   leste celebratur. Nec hoc tibi de meo spondeo sed de sanctarum scripturarum fide et diuinae pollicitationis auctoritate
promitto. Loquitur per Salomonem Spiritus sanctus et dicit :
Qui dat pauperibus numquam egebit ; qui autem auertit
oculum suum in magna penuria erit ᵃ, ostendens miseri-
10   cordes atque operantes egere non posse, magis parcos et steriles ad inopiam postmodum deuenire.

17 uerum : uestrum *F Y G (qui* est *postponit) D h* ‖ uerum – fuistis *(l. 18)*
> *R* ‖ credet : credit *F S*   dabit *G* ‖ et si – dabit uobis *(l. 18)* > *D* ‖ fideles :
-lis *S* ‖ 18 uestrum *<V>* : quod uestrum est *F*

9. *F S P W Y G D R h m p e <V>*
1 si : ex *R¹ (non dilucide emendatur)* ‖ 2 patrimonio tuo : patrimoniō
tuō *F* ‖ finito : finiatur *F* ‖ 3 redigaris : dirigaris *m¹ p*   redagaris *G¹* ‖ 4
usus : usum *G m p* (Christi usum *p*)   unum *D* ‖ impenditur : impeditur *R¹*
e¹ ‖ 5 sanctarum : singularum *W* ‖ 6 et + de *P W Y* ‖ 7 spiritus sanctus :
scriptura sancta *R* ‖ et dicit > *G* ‖ 9 magna : -nam *S* ‖ ostendens : -ndit *G*
e ‖ 11 postmodum > *m p*

d. Lc 16, 11-12.
9. a. Pr 28, 27

1. *si operari plurimum coeperis.* Si l'on ne considère pas *plurimum*
comme un adverbe, ce passage est l'un des deux seuls dans ses traités où
Cyprien utilise le verbe *operari* transitivement, l'autre se trouvant dans le
De dominica oratione (27, 510). Dans les deux cas, l'accusatif en cause est
un pronom neutre, dont on connaît l'usage plus libre dès l'époque classique pour des verbes qui n'admettent pas par ailleurs comme complément
un nom à l'accusatif. Cyprien rencontre ici l'usage qui était déjà pour *ope-*
rari celui d'APULÉE (*Met.* 2, 8, 3), mais il ne va pas jusqu'à la transitivation
totale du verbe comme l'a fait Tertullien et comme feront les auteurs chrétiens ultérieurs.

fidèles, qui vous confiera le vrai bien ? Si quand il s'agit d'un bien étranger vous n'avez pas été fidèles, qui vous donnera votre bien d ? »

**« Dois-je risquer de manquer moi-même ? »
Réponses de l'Écriture**

9. Mais tu redoutes et tu crains, si tu te mets à pratiquer en grand la bienfaisance [1], que ton patrimoine une fois épuisé par les largesses de cette bienfaisance, tu n'en viennes à être réduit à l'indigence. Sur ce point, sois sans alarme et sans inquiétude. Les réserves ne peuvent s'épuiser, quand on dépense pour les besoins du Christ [2], quand on pratique les œuvres du ciel. Je ne te donne pas cette assurance de moi-même, mais je la garantis sur la foi des saintes Écritures et sur l'autorité de la promesse divine. Par la bouche de Salomon [3] l'Esprit-Saint parle en ces termes : « L'homme qui donne aux pauvres ne connaîtra jamais le besoin, mais celui qui détourne son regard tombera dans une grande indigence [a] », montrant ainsi que les miséricordieux, les gens qui pratiquent la bienfaisance, ne peuvent connaître le besoin, tandis que [4] les gens qui économisent, les cœurs stériles, finissent par tomber dans le dénuement [5].

---

2. Ce qui est donné au pauvre est donné au Christ. Ce thème, récurrent dans le traité sous forme de brèves allusions comme celle-ci, deviendra pleinement explicite au ch. 23 avec la citation de Mt 25, 31-46.

3. Le livre des *Proverbes* est atribué à « Salomon, fils de David, roi d'Israël » (Pr 1, 1). Voir p. 87, n. 3.

4. Sur la traduction de *magis* par « tandis que », voir la note complémentaire 10, p. 178.

5. Sur le fond, le commentaire dont Cyprien fait suivre ici la citation scripturaire ne dépasse guère la paraphrase. Mais sa rhétorique s'y déploie : les deux membres de phrase comportent chacun au début un redoublement de termes (*misericordes atque operantes, parcos et steriles*) et s'achèvent sur des clausules très classiques, crétique-trochée (*egerĕ nōn pŏssĕ*) et crétique-double trochée (*pōstmŏdūm dĕuĕnīrĕ*). Le vocabulaire de cette paraphrase évoque en écho les thèmes du chapitre précédent (*steriles*) ou de l'œuvre entière (*operantes*).

Item beatus apostolus Paulus dominicae inspirationis gratia plenus, *Qui administrat,* inquit, *semen seminanti et panem ad edendum praestabit et multiplicabit seminationem*
15 *uestram et augebit incrementa frugum iustitiae uestrae, ut in omnibus locupletemini* [b]. Et iterum : *Administratio huius officii non tantum supplebit ea quae sanctis desunt, sed et abundabit per multam gratiarum actionem in Domino* [c] : quoniam dum gratiarum actio ad Deum pro eleemosynis
20 atque operationibus nostris pauperum oratione dirigitur, census operantis Dei retributione cumulatur. Et Dominus in euangelio iam tunc eiusmodi hominum corda considerans et perfidis atque incredulis praescia uoce denuntians contestatur et dicit : *Nolite cogitare dicentes : Quid edemus aut quid*
25 *bibemus aut quid uestiemur ? Haec enim nationes quaerunt. Scit autem pater uester quia horum omnium indigetis. Quaerite primo regnum et iustitiam Dei et omnia ista adponentur uobis* [d]. Eis omnia adponi dicit et tradi qui regnum

---

12 dominicae : -ca *Y* ‖ gratia > *G* ‖ 13 plenus : + dicens *h* + dicit *m²* ‖ inquit > *m p* ‖ 14 multiplicabit : -cauit *F* ‖ 15 uestram : eiustram *S¹* ei uestram *S²* ‖ augebit : agebit *P¹* angebit *P²* ‖ frugum : frugrum *P* ‖ 16 locupletemini : -tamini *S¹* -timini *S²* ‖ supplebit : implebit *W* suplebit *e* suppleuit *G m p* ‖ ea : eam *S* ‖ sanctis desunt : ~ *e* ‖ et > *Y* ‖ 18 abundabit : -dauit *Y G m p* -dare faciet *h* ‖ multam : -ta *Y* -tas *G* -tarum *R* ‖ actionem : -ones *G* ‖ in > *F¹* ‖ domino <*V*> : domini *F* deum *P W Y m p e* ‖ 19 dum : cum *G* ‖ deum : dominum *F S D R h* ‖ pro – nostris *(l. 20)* : per aelemosinas nostras *G* ‖ 20 atque : et *Y* ‖ nostris : iustis *R* ‖ oratione : operatione *S* ‖ dirigitur : -getur *S* ‖ 21 operantis : -antibus *D R²* ‖ retributione : -tio *R¹* ‖ 22 tunc : tum *S* ‖ 23 atque incredulis > *F¹* ‖ 25 bibemus : bebimus *S* ‖ nationes + mundi *R* ‖ 26 scit : sit *G¹* ‖ autem : enim *S G e* ‖ uester + caelestis *S* ‖ indigetis : indegetis *S* ‖ 27 primo : primum *Y G D* ‖ et iustitiam dei <*V*> : dei *G* et iustitiam *p* dei et iustitiam *R m e* (+ eius *e*) ‖ iustitiam : iustitia *S* ‖ adponentur : -nuntur *P (emendatio non dilucide legi potest)* -nent *p* ‖ 28 eis : et si *Y h* ‖ omnia adponi ~ dicit *G* ‖ et : eis *m p*

---

b. 2 Co 9, 10-11a   c. 2 Co 9, 12   d. Mt 6, 31-33.

---

1. Cyprien joue ici sur une ambivalence possible du texte qu'il cite. Littéralement, la phrase se traduit : « La prestation de ce service ne fournira

De même le bienheureux apôtre Paul, gratifié en plénitude de l'inspiration du Seigneur, affirme : « Celui qui pourvoit le semeur de semence fournira aussi le pain pour votre
nourriture et multipliera ce que vous aurez semé et fera
croître abondamment les fruits de votre justice, en sorte que
vous vous enrichirez de toutes les façons [b]. » Et il ajoute :
« Ce service dont vous vous acquitterez ne fournira pas seulement aux saints ce qui leur manque, mais il répandra plus
de bien encore grâce à l'ampleur de l'action de grâces, dans
le Seigneur [c] [1]. » C'est que, lorsque la prière des pauvres
adresse à Dieu une action de grâces pour nos aumônes et
nos actes de bienfaisance, Dieu rend la pareille au bienfaisant et grossit sa fortune. Et le Seigneur dans l'Évangile,
attentif dès ce moment au cœur des gens de cette sorte, et
donnant un avertissement prophétique aux personnes sans
foi et aux incrédules, argumente en ces termes : « Ne vous
demandez pas : "Que mangerons-nous ? que boirons-
nous ? avec quoi nous vêtirons-nous ?" Les païens cherchent cela. Votre Père sait le besoin où vous êtes de toutes
ces choses. Cherchez en premier le royaume et la justice de
Dieu, et tout cela vous sera donné en plus [d]. » Tout sera,
déclare-t-il, donné en plus et remis à ceux qui cherchent le
royaume et la justice de Dieu : le Seigneur déclare ainsi que,

---

pas seulement aux saints ce qui leur manque, mais encore elle surabondera
(plus littéralement encore : elle débordera) à travers beaucoup d'action de
grâces dans le Seigneur. » Que veut dire cet « à travers » (latin *per*, grec
διά) ? La suite du texte de Paul amène à interpréter ainsi : « elle se répandra (ou plutôt : elle se répand – le texte de Paul est en réalité au présent) en
d'abondantes actions de grâces dans le Seigneur » (le grec dit : pour Dieu),
autrement dit ce service matériel aura aussi un heureux effet spirituel, Dieu
en sera glorifié davantage. Mais ici Cyprien préfère prendre *per* au sens de
« par l'effet de, grâce à » : par l'effet de la prière d'action de grâces des bénéficiaires, ce service rendu prendra plus d'importance « dans le Seigneur », et
la rétribution du bienfaisant par le Seigneur en sera grossie d'autant. En iso-
lant le verset, Cyprien a détourné son sens, ou plutôt (c'est ainsi qu'il voyait
les choses) il a dégagé un aspect différent de sa fécondité.

et iustitiam Dei quaerunt : eos enim Dominus, cum iudicii
30 dies uenerit, ad percipiendum regnum dicit admitti qui fuerint in ecclesia eius operati.

10. Metuis ne patrimonium tuum forte deficiat, si operari
ex eo largiter coeperis, et nescis miser quia dum times ne res
familiaris deficiat uita ipsa et salus deficit et dum ne quid de
rebus tuis minuatur adtendis, non respicis quod ipse minua-
5 ris amator magis mamonae quam animae tuae, ut dum times
ne pro te patrimonium perdas, ipse pro patrimonio pereas.
Et ideo bene apostolus clamat et dicit : *Nihil intulimus
in hunc mundum, uerum nec auferre possumus. Habentes
itaque exhibitionem et tegumentum his contenti simus. Qui*
10 *autem uolunt diuites fieri incidunt in temptationem et mus-*
cipula et desideria multa et nocentia quae mergunt hominem
in perditionem et in interitum. Radix enim omnium malo-

---

29 et iustitiam ~ dei *G* ‖ iustitiam : iustiam *W* ‖ enim > *S*

10. *F S P W Y G D R h m p e <V>*
1 metuis : metuens *S* ‖ 2 et nescis – coeperis (*ch. 11, l. 2*) *omisit primum*
D, sed addidit in inferiore margine eadem, ut uidetur, manu ‖ dum : cum
m p ‖ 3 familiaris *<V>* : + forte *R* -res *S* ‖ deficit : deficiat *F S h* deficet
W ‖ 4 respicis > *m p* ‖ 5 magis mamonae : ~ *m p* ‖ mamonae : -ne *S G m*
‖ tuae : tue fuisti *m* ‖ ut : et *S* > *<V>* ‖ 6 pro te : propter *S* forte *R* ‖ pro
te ~ patrimonium *F²* ‖ perdas + id agis ut *<V>* ‖ pro > *D* ‖ patrimonio *<V>*
+ tuo *S G R* ‖ 7 et¹ > *G* ‖ bene : beatus *R* ‖ apostolus + paulus *F R* ‖ dicit :
dicet *S* ‖ nihil + inquit *m p* ‖ 9 exhibitionem : uictum *F²* ‖ tegumentum :
tegim – *P m* ‖ simus : sumus *S G R <V>* ‖ 10 autem : itaque *<V>* ‖ musci-
pula : -las *P W Y e* -am *G D R h m p <V>* ‖ 11 et² > *S* ‖ 11 hominem : -
nes *S* ‖ 12 in perditionem : imperd- *e* ‖ in ² > *S G¹ <V>* ‖ enim > *m p*

---

1. L'emploi des infinitifs présents passifs *adponi* et *admitti*, dans des
conditions qui imposent de leur reconnaître la valeur d'un futur (reprise en
discours indirect de *adponentur*, lien temporel d'*admitti* avec *cum iudicii
dies uenerit*), et la forme de futur antérieur *fuerint operati* appellent des
remarques semblables à celles de la note complémentaire 9 (p. 177 s.) à propos de *dari dixerat quicquid fuisset eius nomine postulatum*. ~ *uenerit* et
fuerint operati sont de préférence à tenir pour des futurs antérieurs de l'in-

lorsque sera venu le jour du jugement, ceux-là seront admis à prendre possession du Royaume qui auront pratiqué dans son Église la bienfaisance[1].

10. Tu crains que ton patrimoine ne vienne à s'épuiser, si tu te mets à t'en servir pour une large bienfaisance, et tu ne sais pas, malheureux, que tandis que tu crains l'épuisement de ton bien de famille, ce sont ta vie et ton salut qui s'épuisent. Et tandis que tu es attentif à ne pas laisser s'amoindrir tes biens, tu ne t'avises pas que c'est toi qui t'amoindris en donnant plus d'amour à Mammon qu'à ton âme[2], et dès lors, tandis que tu redoutes la perte d'un patrimoine au lieu de la tienne, tu te perds toi-même pour ce patrimoine. C'est pourquoi l'Apôtre fait bien de pousser ce cri : « Nous n'avons rien apporté en ce monde, il n'est pas question non plus que nous en remportions rien[3]. Dès lors, si nous avons de quoi nous nourrir et nous couvrir, soyons satisfaits. Les gens qui veulent devenir riches en viennent à la tentation, aux entraînements, à une foule de désirs coupables qui plongent l'homme dans la perdition et dans la mort. La racine de tout mal, c'est la convoitise, et cette passion a livré des

dicatif et non pour des parfaits du subjonctif, puisque dans la phrase précédente *quaerunt* a été laissé à l'indicatif : les règles classiques du discours indirect n'ont plus rien de contraignant.

2. Cyprien s'apprête à invoquer un texte paulinien à l'appui de son argumentation, mais celle-ci est également très imprégnée de textes évangéliques, notamment ceux où l'homme est invité à choisir entre Dieu et Mammon, c'est-à-dire l'argent déifié (Mt 6, 24 ; Lc 16, 13) ou encore la parabole du riche insensé qui s'occupe de construire de nouveaux greniers alors que son âme (sa vie) va lui être reprise dès la nuit qui suit (Lc 12, 20, d'ailleurs cité au ch. 13).

3. Ce passage de 1 Tm 6, 7-10 est directement inspiré par le livre de *Job* (1, 21) : « C'est nu que je suis sorti du ventre de ma mère, nu aussi que je m'en irai là-bas » (traduction littérale du grec de la Septante), et par celui de l'*Ecclésiaste* (5, 14) : « Tel il était sorti du ventre de sa mère, nu, tel il repartira pour s'en aller comme il était arrivé, et malgré la peine qu'il a prise il ne prendra rien dans sa main pour s'en aller. »

rum est cupiditas quam quidam adpetentes naufragauerunt
a fide et inseruerunt se doloribus multis [a].

11. Metuis ne patrimonium tuum forte deficiat, si operari
ex eo largiter coeperis ? Quando enim factum est ut iusto
possent deesse subsidia ? Cum scriptum sit : *Non occidet*
fame Dominus animam iustam [a]. Helias in solitudine coruis

5   ministrantibus pascitur [b] et Daniel in lacum ad leonum praedam iussu regis incluso prandium diuinitus apparatur [c] : et
tu metuis ne operanti et Dominum promerenti desit ali-
mentum, quando ipse in euangelio ad exprobrationem
eorum quibus mens dubia est et fides parua contestetur et

10   dicat : *Aspicite uolatilia caeli quoniam non seminant neque*

---

14 a fide et inseruerunt > *R¹* ‖ inseruerunt : inserunt *F Y*

11. *S P W Y G D R h m p e <V>*

1 metuis : metuens *S* ‖ 2 ex > *S* ‖ 3 possent : possint *G*   posset *<V>* ‖
subsidia : + uiuendi *R*   + uitae *h*   substantia *<V>* ‖ 4 fame dominus : ~ *G*
h p ‖ in + fugae *<V>* ‖ 5 et > *F* ‖ Daniel : danieli *D m²e*   danielo *m¹* ‖ in
+ leonum *R* ‖ lacum : lacu *P² G D p e*   + leonum *h* ‖ ad > *F S Y¹ G m p*
<V> ‖ leonum > *R h* ‖ praedam : > *G*   praeda *m p <V>* ‖ 6 apparatur :
procuratur *R* ‖ 7 metuis : metues *S* ‖ operanti + tibi *R* ‖ dominum : deo *F*
deum *G R* ‖ 8 exprobrationem : -probat- *S G¹ m p* ‖ 9 quibus : quorum
G ‖ dubia : dura *S* ‖ contestetur : > *G*   -tatur *R* ‖ et > *G* ‖ 10 dicat : dicit
G ‖ aspicite : aspice *D¹ p*

---

10. a. 1 Tm 6, 7-10.
11. a. Pr 10, 3a   b. Cf. 1 R 17, 6   c. Cf. Dn 6, 17-23

---

1. Dans le texte original de 1 Tm 6, 10, la métaphore n'est pas celle du
naufrage, mais celle de l'errance (ἀπεπλανήθησαν), et elle pourrait faire
penser tout aussi bien à des erreurs doctrinales. Cyprien, en citant ce verset, songe pour sa part aux chrétiens que la crainte des confiscations et de
la pauvreté a retenus d'accepter la relégation ou l'exil lors de la persécution, les conduisant ainsi jusqu'à l'apostasie ou au moins à de graves com-
promissions ; il développe en effet ce thème au ch. 11 du *De lapsis*, avant
d'invoquer à l'appui au ch. 12 le même verset paulinien. ~ Il l'avait déjà
transcrit dans le ch. 61 du livre 3 de l'*Ad Quirinum*, en lui donnant simplement sa portée morale évidente, et le reprend encore dans le *De domi-*
nica oratione, au ch. 19, avec le même texte. Les quatre citations s'accor-
dent sur *naufragauerunt*, malgré quelques manuscrits qui empruntent

gens au naufrage[1] de leur foi et à la servitude de multiples chagrins [a]. »

11. Tu crains[2] que ton patrimoine ne vienne à s'épuiser, si tu te mets à t'en servir pour une large bienfaisance ? Quand donc s'est-il produit que le secours de Dieu pût manquer au juste[3], alors qu'il est écrit : « Le Seigneur ne fera pas succomber à la faim une personne juste [a] » ? Élie au désert est servi par des corbeaux et mange [b] ; quand Daniel est enfermé sur l'ordre du roi dans une fosse pour y être la proie des lions, Dieu pourvoit à son déjeuner [c] ; et toi tu crains, en pratiquant la bienfaisance et en te créant des titres auprès du Seigneur, de n'avoir plus de quoi te nourrir, alors que lui-même dans l'Évangile pour blâmer les esprits mal assurés, les gens de peu de foi, argumente en ces termes : « Regardez les oiseaux du ciel : ils ne sèment ni ne mois-

---

errauerunt à la Vulgate (ainsi Bévenot relève pour *R*, *S* et *T [Vaticanus Reg. Lat. 118*, non retenu par Simonetti pour le *De opere]* errauerunt dans le *De lapsis*, mais les mêmes manuscrits portent *naufragauerunt* dans le *De opere*). ~ TERTULLIEN avait déjà utilisé ce verset paulinien : *(si recogitemus) cupiditatem radicem omnium malorum, qua quidem inretiti circa fidem naufragium sunt passi* (*Idol.* 11, 1). La présence de *naufragium* dans cette traduction-paraphrase fait penser qu'un demi-siècle avant Cyprien la substitution de métaphore était déjà un fait acquis dans la Bible en usage à Carthage, probablement sous l'influence de 1 Tm 1, 19.

2. S'agissant du rôle structurant, pour l'unité de la troisième section du texte (ch. 9-15), de l'anaphore de *metuis* et de l'usage constant de la seconde personne du singulier, on se reportera à la cinquième section de l'Introduction, p. 38, et à la sixième p. 43.

3. Texte parallèle, déjà remarqué par REBENACK (1962, p. 120), en *De dominica oratione* 21 : *Neque enim deesse cotidianus cibus potest iusto, cum scriptum sit*, suivi de la même citation des *Proverbes*. Ce chapitre du *De dominica oratione* se poursuit par un verset de *Psaume* (36, 25, cité aussi au ch. 19 du *De opere*), puis par une citation évangélique (Mt 6, 31-33) qui figure également dans le *De opere* (ch. 9) et est tirée du même développement que celle qu'on trouve plus bas au présent chapitre, enfin par des allusions, un peu plus développées qu'ici, aux mêmes épisodes des vies de Daniel puis d'Élie.

metunt neque colligunt in horrea, et pater uester caelestis alit
illa. Nonne uos pluris illis estis [d] ? Volucres Deus pascit et
passeribus alimenta diurna praestantur et quibus nullus
diuinae rei sensus est eis nec potus nec cibus deest : tu chris-
15 tiano, tu Dei seruo, tu operibus bonis dedito, tu Domino
suo caro aliquid existimas defuturum ?

12. Nisi si putas quia qui Christum pascit a Christo ipse
non pascitur aut eis terrena deerunt quibus caelestia et
diuina tribuuntur. Vnde haec incredula cogitatio, unde
impia et sacrilega ista meditatio ? Quid facit in domo fidei
5 perfidum pectus ? Quid qui Christo omnino non credit
appellatur et dicitur christianus ? Pharisaei tibi magis
congruit nomen. Nam cum Dominus in euangelio de eleemosynis disputaret et ut nobis amicos de terrestribus lucris
prouida operatione faceremus qui nos postmodum in taber-
10 nacula aeterna susciperent [a] fideliter ac salubriter praemo-

---

11 alit : pascit *p* [1] *e* ‖ 12 pluris : plures *F S P* W[1] *Y* G[1] ‖ illis estis : ~ *Y*
G m p ‖ 14 nec potus ~ nec cibus *R* ‖ 15-16 tu domino suo caro > *G* ‖
domino : deo W[2] ‖ 16 defuturum : -rus *D* -ro *R*

12. *F S P W Y G D R h m p e* <*V*>
1 si > *R e* ‖ ipse > *G* ‖ 4 ista : illa *F* ‖ 5 qui : > Y[1] + in *R* ‖ 6 tibi : sibi
p ‖ 8 et > *G D* ‖ ut : in *F* ‖ 9 prouida : propria *S* ‖ operatione : ratione *S*
oratione *W* ‖ 9-10 tabernacula aeterna : ~ *p* ‖ 10 susciperent : -eret *S*
-er*int G[1] ‖ praemoneret : praeponeret *m* proponeret *p*

---

d. Mt 6, 26.
12. a. Cf. Lc 16, 9

---

1. Ce commentaire de la citation de *Matthieu* contient quelques échos
discrets d'autres passages de l'Évangile. « La nourriture du jour » évoque
la quatrième demande du Pater (Mt 6, 11 ; Lc 11, 3), le serviteur « cher à
son Seigneur » fait penser au bon et fidèle serviteur invité à prendre part à
la joie de son seigneur dans la parabole des talents (Mt 25, 21). Le redoublement d'expression qui fait reprendre « oiseaux » par « moineaux » renvoie à Mt 10, 31 (« vous valez plus que la multitude des moineaux »). ~ En
même temps il y a mise en forme rhétorique : la reprise de *tu* s'accompagne

sonnent, ni ne rentrent de récoltes dans des greniers, et votre
père du ciel les nourrit. Ne valez-vous pas plus qu'eux [d] ? »
Dieu donne à manger aux oiseaux, la nourriture du jour est
fournie aux moineaux, des êtres dépourvus de toute perception de la réalité divine ne manquent ni de boisson ni
d'aliments, et toi tu te figures qu'un chrétien, un homme au
service de Dieu, dévoué à faire le bien, cher à son Seigneur,
manquera de quelque chose [1] ?

12. Mais peut-être penses-tu que celui qui nourrit le
Christ n'est pas à son tour nourri par le Christ, ou que les
biens de la terre feront défaut aux gens à qui reviennent ceux
du ciel et de Dieu. Où vas-tu chercher cette pensée d'incré-
dulité, cette réflexion impie et sacrilège ? Que fait dans la
demeure de la foi [2] un cœur sans foi ? Pourquoi un homme
qui ne fait aucune confiance au Christ porte-t-il le titre et
le nom de chrétien ? Celui de pharisien te conviendrait
mieux. Car après un passage de l'Évangile dans lequel le
Seigneur traitait des aumônes et nous avertissait, par un
conseil loyal et salutaire, de nous faire avec les gains de cette
terre, par une bienfaisance prévoyante, des amis destinés
ensuite à nous accueillir dans les tentes éternelles [a], l'Écri-

de l'ampleur croissante de *christiano* (un seul mot), *Dei seruo* (deux mots,
même si cela de fait pas plus de syllabes), *operibus bonis dedito* (trois mots,
9 syllabes). *Domino suo caro* a certes moins de syllabes, mais s'enchaîne
avec la suite, et l'ampleur croissante est ainsi respectée, jusqu'à la clausule
classique *existĭmās defŭtŭrŭm* (crétique - double trochée).

2. Cette métaphore qui désigne l'Église ne se rencontre pas chez
Tertullien. Cyprien y recourt deux fois dans ses traités, ici et dans le *De
mortalitate* 12, 234. Dans la *Lettre* 72, 2, 3 elle s'accompagne du même jeu
de mots : *non debet in domo fidei perfidia promoueri*. Elle sera reprise par
AUGUSTIN (*Ep.* 250, 1.3 ; *Sermo* 337 = *PL* 38, 1478) et par JÉRÔME (par
exemple *Tract. Marc. sermo* 5, l. 132). ~ Elle pourrait avoir été suggérée par
1 P 2, 5-6. La métaphore est implicitement présente dans l'expression pau-
linienne οἰκείους τῆς πίστεως, *domesticos fidei* (Ga 6, 10, texte cité par
Cyprien au ch. 24 du *De opere*).

neret, addidit post haec scriptura dicens : *Audiebant autem
haec omnia pharisaei qui erant cupidissimi et inridebant* [b].
Quales nunc in ecclesia quosdam uidemus quorum praeclu-
sae aures et corda caecata nullum de spiritalibus ac salutari-
15 bus monitis lumen admittunt, de quibus mirari non oportet
quod contemnant in tractatibus seruum, quando a talibus
ipsum Dominum uideamus esse contemptum.

13. Quid tibi istis ineptis et stultis cogitationibus plaudis,
quasi metu et sollicitudine futurorum ab operibus retarde-
ris ? Quid umbras et praestigias quasdam uanae excusationis obtendis ? Confitere immo quae uera sunt et quia
5 scientes non potes fallere, secreta et abdita mentis exprome.
Obsederunt animum tuum sterilitatis tenebrae et recedente
inde lumine ueritatis carnale pectus alta et profunda auaritiae caligo caecauit. Pecuniae tuae captiuus et seruus es, cate-

---

11 addidit : addit *G h¹* ǁ dicens : diuina *G*   diuina dicens *R e* ǁ autem
> *W* ǁ 12 inridebant + eum *D R h m p* ǁ 13 quales : tales *e* ǁ in ecclesia ~
quosdam *G* ǁ 14 spiritalibus : spiritualibus *P² e* ǁ 15 monitis : munitis *P*
praeceptis *R* ǁ lumen > *Y* ǁ oportet : potest *m*   potest et *p* ǁ 16 contemnant : contemnat *e G¹*   contemnunt *m p* ǁ tractatibus : tractibus *F m p¹* ǁ
quando + quando *F* ǁ a talibus : ab aliis *m p* ǁ 17 dominum : deum *S G* ǁ
uideamus : uideam *P* ǁ esse contemptum : ~ *m p*

13. *F S P W Y G D R h m p e* <*V*>
1 tibi : + cum *F*   + in *W G R h* <*V*> ǁ plaudis : plaudes *F* ǁ 3 praestigias quasdam : ~ *R*   praestigia quaedam *e* ǁ uanae : uanas *S*   uane *p e* ǁ
excusationis : > *p*   exprome *m* ǁ 4 obtendis : ostendis *R* ǁ immo > *Y* ǁ 5
potes : potest *F¹ S G* ǁ 6 obsederunt : obsiderunt *F G m p* ǁ sterilitatis :
-itas *D* ǁ et > *D²* ǁ 7 auaritiae : -tia *W Y*   aueritate *m*

---

b. Lc 16, 14.

---

1. Au ch. 2 Cyprien, prisonnier des limites d'une citation de *Luc* reprise
de l'*Ad Quirinum*, était passé à côté de cette rapacité des pharisiens, dont
l'évocation aurait alors simplifié son raisonnement. Ici, un autre passage de
Luc, repéré par une recherche affranchie cette fois de l'*Ad Quirinum*, lui
permet d'exploiter ce thème.

ture a ajouté ces mots : « Les pharisiens écoutaient tout
cela, eux qui étaient fort avides [1], et ils en riaient [b]. » Dans
l'Église aujourd'hui, nous voyons des gens de cette sorte,
dont les oreilles bouchées et les cœurs aveuglés [2] se ferment
à toute lumière venant d'avertissements salutaires inspirés
par l'Esprit : il n'y a pas à s'étonner qu'ils méprisent le serviteur à l'occasion de ses sermons, puisque nous voyons le
maître lui-même méprisé de cette sorte d'hommes [3].

13. Pourquoi te flattes-tu de ces pensées déraisonnables
et insensées, comme si la crainte et l'inquiétude de l'avenir
étaient ce qui paralyse ta bienfaisance ? Pourquoi t'abrites-
tu derrière des apparences, des jongleries incapables de te
justifier ? Avoue plutôt ce qui est vrai, et puisque tu ne peux
tromper les esprits clairvoyants, mets au jour les secrets que
cache ta conscience. Les ténèbres de la stérilité ont assailli
ton âme, et tandis que la lumière de la vérité s'en retirait,
l'obscurité profondément épaisse de la cupidité a aveuglé
ton cœur engoncé dans la chair. Tu es le prisonnier et l'es-

2. Alors que le thème des oreilles bouchées ne sera pas repris, celui de
l'aveuglement, de la fermeture à la lumière, va se développer sur plusieurs
chapitres, avec les ténèbres de la stérilité et l'obscurité de la cupidité
(ch. 13), la cécité dénoncée par un texte de l'*Apocalypse*, le traitement à faire
subir au regard et l'offre de vêtements blancs et lumineux (ch. 14), l'appel
adressé à la riche dame pour qu'elle renonce au noir qui farde ses yeux et
qui l'empêche d'accorder un regard aux pauvres (fin de 14, début de 15).

3. La dernière partie de la phrase, à partir de *quod contemnant*, s'inspire de textes évangéliques, mais en substituant le mépris à l'injure (Mt 10,
25 : « ils ont traité de Béelzéboul le maître de maison ») ou à la persécution (Jn 15, 20). ~ REBENACK 1962 (p. 121) a rapproché avec raison cette
fin de chapitre de deux passages, proches l'un de l'autre, de la *Lettre* 65 (2,
2 et 3, 1) : *Quamuis sic quorundam pectora tenebrarum ingruentium profunda caligo caecauerit, ut de praeceptis salubribus nihil lucis admittant (...)
Nec mirum si consilia nostra aut Domini praecepta nunc abnuunt qui
Dominum negauerunt.*

nis cupiditatis et uinculis alligatus es et quem iam soluerat
10 Christus denuo uinctus es. Seruas pecuniam quae te seruata
non seruat, patrimonium cumulas quod te pondere suo one-
rat, nec meministi quid Deus responderit diuiti exuberantium fructuum copiam stulta exultatione iactanti. *Stulte,*
inquit, *hac nocte expostulatur anima tua. Quae ergo parasti*
15 *cuius erunt* [a] ? Quid diuitiis tuis solus incubas, quid in poe-
nam tuam patrimonii pondus exaggeras, ut quo locupletior

---

9 alligatus : ligatus *P* ‖ 10 es : et *D*   est *R* ‖ seruas : seruans *D* ‖ te : a te
G ‖ 11 te ~ pondere suo *e* ‖ 12 quid – diuiti > *S* ‖ 13 copiam : copia *R m*
p <*V*> ‖ stulta + se <*V*> ‖ exultatione : exalt- *G* ‖ 14 hac : ac *D h* ‖ expostulatur : postulatur *m p* ‖ tua <*V*> + a te *h* ‖ 15 tuis > *S* ‖ incubas : incum-
bas *F Y* ‖ 16 patrimonii <*V*> + tui *e* ‖ quo : qui *D R*

---

13. a. Lc 12, 20.

---

1. Cf. *Ad Donatum* 12, 258-259 : « et le malheureux ne se rend pas
compte qu'il est retenu à l'attache par l'or et est possédé par sa richesse
plus qu'il ne la possède », *nec intellegit miser ... auro se alligatum teneri et
possideri magis quam possidere diuitias.* Cf. *De lapsis* 11, 206 (où se rencontrent les mots *ligauerunt, uincula, catenae*) et 12, 225 : « ils croient posséder des biens alors qu'ils sont plutôt possédés par eux, esclaves qu'ils sont
de leur fortune », *possidere se credunt qui potius possidentur, census sui
serui.* De texte en texte, Cyprien propose ainsi une variation sur un thème
en agençant de manière diverse un vocabulaire dont le renouvellement
limité ne fait que mieux mettre en valeur les échos conservés. Tertullien
semble n'avoir pas traité ce thème, en tout cas pas ainsi, car rien de tel n'apparaît dans les pages de ses œuvres qui offrent *diuitiae* ou *pecunia* dans le
même contexte que *possidere* ou *seruus* ou leurs dérivés. ~ « Tu es l'esclave
de ton argent ». CICÉRON n'utilise encore qu'en passant, et sans commen-
ter, l'expression *pecuniae seruire* (*Tusc.* 5, 9), mais ce type d'esclavage est
explicitement dénoncé par SÉNÈQUE : *Hunc diuitem auarum, sestertii milies
seruum,* « cet homme, riche, avare, esclave de ses cent millions de ses-
terces » (*Nat. Quaest.* 1, 16, 1) ; *Seruus est.. Ostende qui non sit : alius libi-
dini seruit, alius auaritiae, alius ambitioni,* « C'est un esclave ... Montre-
moi qui ne l'est pas : tel est asservi à la débauche, tel autre à l'avarice, tel
autre à l'ambition » (*Ep. ad Lucilium* 47, 17). ~ Après Cyprien, le thème
sera repris notamment par AMBROISE : *Seruitis diuites, ... seruitis cupiditati,*

clave de ton argent[1], les chaînes et les liens de la convoitise te tiennent attaché, et toi que le Christ avait délivré, tu te retrouves dans les liens. Tu préserves ton argent, sans que sa préservation te préserve[2], tu entasses un patrimoine qui t'accable sous sa masse, et tu ne te rappelles pas ce que Dieu a répondu au riche qui faisait parade avec des transports insensés de l'abondance des revenus dont il regorgeait[3] : « Insensé, dit-il, cette nuit on te réclamera ta vie ; à qui donc reviendront les biens que tu as acquis [a] ? » Pourquoi couves-tu[4] solitairement tes richesses ? Pourquoi prépares-tu ton châtiment en grossissant la masse de ton patrimoine, ce qui

seruitis auaritiae, quae expleri non potest, « Vous êtes esclaves, vous les riches, ... esclaves de votre désir, esclaves de votre avidité, que rien ne peut rassasier » (De Nabuthe 52).

2. Il s'agit d'un jeu de mots, bien sûr, mais ce qui le charge de sens c'est qu'au troisième emploi le verbe seruare y assume une valeur théologique, et qu'il faut comprendre aussi : « sans que sa préservation assure ton salut », en même temps que : « sans que sa préservation te préserve de la mort ». ~ R. Braun remarque que, si les mots salus et saluus ont été facilement adoptés avec une valeur chrétienne dès les premières traductions en latin de la Bible pour parler du salut reçu en Jésus-Christ, il n'en est pas de même pour (con)seruare, « sauver d'un malheur, d'un péril où il y va de la vie », qui ne traduit jamais σώζειν dans les vieilles latines ni la Vulgate. L'usage de (con)seruator rei publicae, humani generis, orbis, etc. dans la titulature impériale des deux premiers siècles, le fait qu'Auguste affectionnait l'expression seruare ciues, expliquent peut-être cette répugnance. Tertullien ne recourt encore que rarement à seruare pour parler du salut chrétien, et jamais quand Dieu est le sujet du verbe (BRAUN 1977, p. 496). ~ Cyprien ne montre pas ces réticences, comme l'indique bien l'emploi qu'il fait de conseruare et de reseruare dans le développement théologique du premier chapitre.

3. Même citation de Lc 12, 20 dans le De dominica oratione 20, 374, introduite à peu de choses près par les mêmes mots : diuitem stultum ... se exuberantium fructuum largitate iactantem redarguit Deus. La demande Panem nostrum cotidianum da nobis hodie y est interprétée comme une invitation à refuser toute tentation d'accumuler un patrimoine.

4. Voir p. 94, n. 2.

saeculo fueris pauperior Deo fias ? Reditus tuos diuide cum
Deo tuo, fructus tuos partire cum Christo, fac tibi possessionum terrestrium Christum participem, ut et ille te sibi
20　faciat regnorum caelestium coheredem.

14. Erras et falleris quisque te in saeculo diuitem credis.
Audi in Apocalypsi Domini tui uocem eiusmodi homines
iustis obiurgationibus increpantem. *Dicis, inquit, diues sum
et ditatus sum et nullius rei egeo : et nescis quoniam tu es*
5　*miser et pauper et caecus et nudus. Suadeo tibi emere a me
aurum ignitum de igni ut sis diues, et uestem albam ut uestiaris et non appareat in te foeditas nuditatis tuae, et colly-*

---

17 saeculo fueris : ~ *p* ǁ reditus : redditus *G¹ p* ǁ diuide : partire *m p* ǁ
17-18 diuide – fructus tuos > *S* ǁ 18 deo <*V*> : domino *P Y G D m p e*
domino deo *h* ǁ fructus : fructos *F* ǁ possessionum : -nem *F* ǁ 19 Christum
participem : ~ *G* ǁ participem : partipicem *S*

14. *F S P W Y G D R h m p e* <*V*>
1 falleris : – eres *S* ǁ 2 homines : – nem *m p* ǁ 3 sum :> *R* ǁ 4 sum > *G*
m p <*V*> ǁ nullius : nullus *m* ǁ quoniam <*V*> : quia *R m p* ǁ 5 miser + et
miserabilis *R h m p e* ǁ caecus : caetus *D* ǁ et ³ > *e* ǁ a me > *W¹* ǁ 6 de >
G ǁ igni : > *G*　igne *W R m p* ǁ uestem albam : ueste alba *R G (qui uestiaris ante* ueste *ponit)* ǁ ut : > *e G R* <*V*>　et *S* ǁ uestiaris : uestieris *Y*
induaris *e* ǁ 7 te > *Y¹* ǁ nuditatis tuae : ~ *m* ǁ collyrio (-irio) : collurio *F*

---

1. Voir p. 101, n. 2.
2. Le thème paulinien (Rm 8, 17) du chrétien cohéritier du Christ est
ici déplacé du plan théologique où Paul le situait (l'action de l'Esprit rend
les hommes fils de Dieu : Rm 8, 14) à celui des réalités concrètes de la charité. Ce déplacement semble bien constituer une innovation de Cyprien.
Dans *Ad Fortunatum* 13, 20 il reprendra l'expression *coheredem Christi*,
cette fois à propos des récompenses qui attendent le martyr au paradis, dans
un chapitre intitulé « Nous recevons plus dans le salaire de notre passion
que ce que nous supportons ici-bas dans cette passion même », ce qui établit comme dans le présent texte une comparaison entre ce que le chrétien
abandonne en ce monde (par l'aumône) ou y souffre (lors du martyre) et
l'héritage céleste qui lui est promis. ~ Comme l'écrivait saint Paul, nous
sommes « cohéritiers du Christ, s'il est vrai que nous participons à sa passion, pour participer aussi à sa gloire » (*coheredes autem Christi, si quidem
conpatiamur, ut et conmagnificemur* : Rm 8, 17, cité ainsi dans *Ad*

te rend plus pauvre pour Dieu à mesure que tu deviens plus riche pour le monde ? Prends sur tes revenus pour ton Dieu, partage tes gains avec le Christ[1], fais du Christ ton associé dans les possessions de la terre, pour qu'à son tour il te fasse avec lui cohéritier[2] des royaumes du ciel.

14. Tu t'égares et tu t'abuses, qui que tu sois, lorsque tu te crois riche en ce monde. Entends dans l'*Apocalypse* la voix de ton Seigneur qui apostrophe les gens de ta sorte en de justes reproches : « Tu dis : "Je suis riche et comblé de biens, et je ne manque de rien[3]" et tu ne sais pas[4] que tu es malheureux, pauvre, aveugle, nu. Je te conseille de m'acheter de l'or purifié au feu, afin d'être riche, et un vêtement blanc, afin de t'en revêtir et de ne plus laisser paraître la honte de

---

Quirinum 3, 16, 76). La dépossession volontaire devient ici comme le martyre une participation à la Passion, ou du moins ce serait le cas si l'expression « cohéritiers du Christ » appelait aussitôt à la mémoire du lecteur la suite du verset paulinien.

3. La richesse que croit posséder l'Église de Laodicée, dans ce texte d'Ap 3, 17, n'est pas matérielle mais spirituelle. Ici encore le sujet de son traité amène Cyprien à redonner leur sens concret à des mots pris par l'écrivain néotestamentaire en un sens métaphorique.

4. Ici, comme au ch. 15, l. 13 (*dico ... quoniam*), *quoniam* est employé pour introduire une complétive, de la même manière que *quod* ou *quia* (p. 76, n. 1), là où le latin classique utilise normalement la proposition infinitive. Il en est probablement de même au ch. 11, l. 10 (*aspicite uolatilia caeli quoniam non seminant*), même si une interprétation causale (« car ils ne sèment ») ne peut être tenue pour absurde. Dans ces trois cas, il s'agit de la traduction africaine du Nouveau Testament, non d'un texte personnel de Cyprien. Les quatre autres emplois de *quoniam* (ch. 8 et 20 dans des citations bibliques ; ch. 9 et 18 sous la plume de l'auteur) sont conformes à l'usage classique, avec un sens causal. ~ L'emploi complétif, répandu en latin tardif, est déjà bien installé dans la langue des traductions bibliques : les autres œuvres de Cyprien le confirment. Lui-même semble éviter la tournure dans sa prose personnelle soutenue (sur 12 *quoniam* sous sa plume dans les traités, un seul est complétif, *scire quoniam* en *De ecclesiae catholicae unitate* 17, 437), mais les occurrences sont nombreuses dans ses *Lettres* (3, 3, 1 ; 8, 2, 2 ; 8, 3, 1 ; 16, 4, 2, etc.).

rio inungue oculos tuos ut uideas [a]. Qui ergo locuples et
diues es eme tibi a Christo aurum ignitum, ut sordibus tuis
10 tamquam igne decoctis esse aurum mundum possis, si eleemosynis et iusta operatione purgeris. Eme tibi albam uestem, ut qui secundum Adam nudus fueras [b] et horrebas ante
deformis, indumento Christi candido uestiaris. Et quae
matrona locuples et diues es ungue oculos tuos non stibio
15 diaboli sed collyrio Christi, ut peruenire ad uidendum
Deum possis, dum Deum et operibus et moribus promereris.

---

8 inungue : ungue *P W Y G R m p* ‖ uideas + ego autem quos amo redar-
guo et castigo *R* ‖ 9 eme : sume *R* ‖ a > *R* ‖ Christo : me *F* ‖ Christo
aurum : ~ *R* ‖ 10 tamquam + ab *h* ‖ 14 matrona : + in ecclesia *R*   + in
ecclesia christi *m p* ‖ ungue : inungue *F h e* ‖ 15 collyrio (-irio) : colloryo
m ‖ 16 deum [1] : dominum *D R m p* ‖ deum [2] : > *F¹* dominum *F² D m p*
‖ et operibus ~ et moribus *S* ‖ operibus <*V*> + bonis *m p* ‖ et moribus >
G D ‖ promereris : bonis ornaris *F²*

---

14. a. Ap 3, 17-18 b. Cf. Gn 3, 7.

---

1. On attendrait plutôt « et un collyre pour t'en frotter les yeux ». C'est
ce qui se lit dans le texte grec : καὶ κολλούριον ἐγχρῖσαι τοὺς ὀφθαλμούς
σου. Mais le mot ἐγχρισαι prêtait à confusion : accentué ἐγχρῖσαι, c'est un
infinitif actif (« enduire »), accentué ἔγχρισαι, c'est un impératif de la voix
moyenne (« enduis-toi »). Les accents n'étaient précisés que rarement et
irrégulièrement sur les volumes grecs d'alors. La Vulgate elle aussi a vu ici
un impératif.
2. *sordibus* : cf. ch. 1, l. 21-22 : *ut sordes postmodum quascumque
contrahimus eleemosynis abluamus.*
3. Reprise du thème du vêtement blanc et lumineux, qu'avait déjà introduit au ch. 4 la citation partiellement erronée d'Is 58, 8. Le texte ici exploité
d'Ap 3, 18 peut être complété par Ap 4, 4 (vêtements blancs des vingt-
quatre « anciens ») et Ap 7, 9 (robes d'un blanc lumineux, λευκάς, de la
foule innombrable des élus), tous textes qui sont probablement à l'origine
de l'usage liturgique des vêtements blancs pour les nouveaux baptisés. Il
s'agit donc ici de retrouver, conformément à la doctrine des premiers chapitres du traité, la pureté qu'avait conférée le baptême.

ta nudité ; et frotte tes yeux d'un collyre, afin de voir [a][1]. »
Donc, toi qui es opulent et riche, achète au Christ l'or passé
au feu, afin que, tes souillures[2] une fois consumées ainsi que
par un feu, tu puisses être un or sans tache, si tu te purifies
par des aumônes et une juste bienfaisance. Achète-toi un
vêtement blanc, toi qui à la suite d'Adam t'étais trouvé nu [b]
et faisais horreur par ta laideur d'alors, afin de revêtir la
tenue toute blanche du Christ[3]. Et toi, opulente et riche
dame, frotte tes yeux non avec le fard[4] du diable, mais avec
le collyre du Christ, afin de pouvoir parvenir à voir Dieu[5],
en te créant par ta bienfaisance et tes mœurs des titres auprès
de Dieu.

---

4. La condamnation de la tromperie que constitue le maquillage des
femmes, classique depuis l'*Économique* de XÉNOPHON, où le fard des yeux
est explicitement blâmé (10, 5-6), vient ici croiser le rappel du collyre d'Ap
3, 18. ~ Cyprien déclarait déjà dans le *De habitu uirginum* (ch. 14) que ce
sont les anges rebelles qui ont enseigné aux femmes à « farder leurs yeux
en les entourant de noir », *oculos circumducto nigrore fucare*, et à teindre
leurs joues d'une « rougeur mensongère », *mendacio ruboris*. Il s'inspirait
là, en y mettant plus de sobriété, de développements de TERTULLIEN dans
le *De cultu feminarum* (notamment 1, 2, 1 et 2, 5, 2-3).

5. « Voir Dieu ». L'expression peut paraître banale. Pourtant « pouvoir
parvenir à » signale que cette vision ne va pas de soi. Rappelons quelques
données bibliques. 1) Voir Dieu met en péril de mort (Ex 33, 20 ; Gn 32,
31 ; Ex 3, 6 ; Is 6, 5, etc.) et impose d'avoir été auparavant purifié de ses
souillures (Is 6, 5). ~ 2) Voir Dieu se réalisera pour l'homme que Dieu
sauve lors de l'entrée dans la Vie définitive : « Dans ma chair je verrai
Dieu » (Jb 19, 26) ; « Nous savons que, lorsqu'il paraîtra, nous lui serons
semblables, puisque nous le verrons tel qu'il est » (1 Jn 3, 2). Voir Dieu,
ici, c'est être sauvé. ~ Déjà dans le *De habitu uirginum* 17, où il est question du jour de la résurrection et du jugement, Cyprien avait écrit : « Tu
ne pourras pas voir Dieu, puisque tu n'as plus les yeux que Dieu a faits
(fecit), mais ceux que le diable a contrefaits *(infecit)*. »

15. Ceterum quae talis es nec operari in ecclesia potes : egentem enim et pauperem non uident oculi superfusi nigroris tenebris et nocte contecti. Locuples et diues domininicum celebrare te credis quae corban omnino non respicis,
5 quae in dominicum sine sacrificio uenis, quae partem de sacrificio quod pauper obtulit sumis ?

Intuere in euangelio uiduam praeceptorum caelestium memorem, inter ipsas pressuras et angustias egestatis operantem, in gazophylacium duo quae sola sibi fuerant minuta
10 mittentem, quam cum animaduerteret Dominus et uideret, non de patrimonio sed de animo opus eius examinans et considerans non quantum sed ex quanto dedisset, respondit et dixit : *Amen dico uobis quoniam uidua ista omnibus plus*

---

15. *F S P W Y G D R h m p e <V>*

1 es : est *D* ‖ ecclesia : -siam *F S* ‖ potes : potest *D* poteris *R* ‖ 2 enim > *S* ‖ uident <*V*> : uiderint *F¹* ‖ oculi + tui *S* ‖ superfusi : superfusioni *F* perfusi *G* ‖ 3 nigroris : cruoris *F* nigrore *S R* ‖ locuples : locuplex *R* ‖ diues : + es *G D R e* + es et <*V*> ‖ 4 celebrare te : ~ *Y m p* ‖ credis : credes *S* ‖ corban <*V*> : corbam *S m e* orbam *h* ‖ respicis : -ces *S* ‖ 5 dominicum : -nico *F h* ‖ sacrificio : -cium *S* ‖ 7 in euangelio : euangelicam *G* ‖ 8 operantem : + et <*V*> operari *S* ‖ 9 gazophylacium : -io *S P R h¹* ‖ quae : quoque *Y* ‖ fuerant : + *ra *F* erant *S* ‖ minuta > *Y <V>* ‖ 10 quam : ad quam *R* ‖ animaduerteret : animauerteret *m* ‖ 11 non : nec *m* ‖ examinans et : examinasset *m p* ‖ et > *Y* ‖ 13 amen + amen *R* ‖ omnibus plus <*V*> : ~ *G m p*

---

1. *Ecclesia* désigne la communauté des chrétiens assemblée, et plus généralement cette communauté, sans que la référence à une assemblée déterminée soit indispensable, et cela dès le Nouveau Testament (par exemple Mt 16, 18 ; Rm 16, 1). Ce n'est qu'ultérieurement que le mot pourra être utilisé pour nommer le lieu où elle se réunit, l'église-édifice, y compris lorsque ce lieu est vide. On trouve *ecclesia* six fois dans le *De opere et eleemosynis*. A la fin des ch. 9 ; 12 ; 17 et 23, il ne peut s'agir que de l'Église-communauté. Ici, et surtout au milieu du ch. 22, c'est dans le cadre d'une assemblée liturgique que la communauté des fidèles est évoquée, et donc l'idée de la réunion dans un lieu n'est pas absente, mais cela reste secondaire, et il ne peut encore être question d'une acception distincte du mot. ~ D'après Chr. Mohrmann, c'est dans le premier tiers du quatrième siècle qu'en latin

15. Mais dans l'état où tu te trouves, tu es même incapable d'exercer la bienfaisance dans l'Église[1] : l'indigent et le pauvre sont invisibles à tes yeux saturés d'un noir qui les enténèbre et recouverts de nuit. Opulente et riche, tu t'imagines célébrer le culte du Seigneur, toi qui passes sans un regard pour l'Offrande[2], toi qui viens au culte du Seigneur[3] sans sacrifice et qui prends ta part[4] du sacrifice qu'a offert le pauvre ?

Observe la veuve qui, dans l'Évangile, garde présents à l'esprit les préceptes du ciel, et qui exerce la bienfaisance au milieu même de sa détresse et de sa gêne, en jetant dans le tronc du trésor deux piécettes, son seul bien. En l'apercevant et en la voyant, le Seigneur, appréciant son geste selon la mesure non de sa fortune mais de son cœur, considérant non pas la somme mais la part de ses biens qu'elle avait donnée, prit la parole en ces termes : « En vérité, je vous dis que cette veuve a mis plus que tout le monde dans les offrandes à Dieu[5].

ecclesia est devenu courant pour dire l'édifice, la *domus ecclesiae* (cf. MOHRMANN 1977, p. 211-230 : Les dénominations de l'Église en tant qu'édifice en grec et en latin). ~ Chez Cyprien, le texte où le mot *ecclesia* est le plus près de désigner un lieu est le passage de la *Lettre* 59 (16, 2) où il est question de *lapsi* qui n'osent s'approcher du seuil de l'Église, *ad limen ecclesiae*. *Limen* fait évidemment penser à une salle où la communauté est réunie, mais le mot *ecclesia* ne serait pas utilisé si la communauté n'était pas là, et il ne faut pas oublier non plus que, selon la tradition de l'Écriture, l'Église-communauté elle-même est considérée comme un édifice (1 Co 3, 9 s.).

2. Sur l'interprétation du mot *corban*, voir la note complémentaire 11, p. 178 s.

3. Le neutre substantivé *dominicum* est également employé pour parler de l'assemblée et de la célébration eucharistiques dans la Correspondance (*Ep.* 63, 16, 2). Le mot en est arrivé à désigner aussi le lieu où les fidèles se rassemblent pour célébrer, mais il ne semble pas que Cyprien connaisse déjà cette extension.

4. En communiant à l'eucharistie.

5. « dans les offrandes à Dieu » n'est présent à cet endroit ni dans le texte grec ni dans la Vulgate, qui écrit au verset suivant *in munera Dei* (grec : εἰς τὰ δῶρα τοῦ θεοῦ).

misit in dona Dei. Omnes enim isti de eo quod abundauit
15 *illis miserunt in dona Dei. Haec autem de inopia sua omnem*
quemcumque habuit uictum misit [a].

Multum beata mulier et gloriosa quae etiam ante diem
iudicii meruit iudicis uoce laudari. Pudeat diuites sterilitatis
atque infelicitatis suae. Vidua et inops uidua in opere inue-
20 nitur, cumque uniuersa quae dantur pupillis et uiduis confe-
rantur, dat illa quam oportebat accipere, ut sciamus quae
poena sterilem diuitem maneat, quando hoc documento
operari etiam pauperes debeant. Atque ut intellegamus haec
opera Deo dari et eum quisque haec faciat Deum promereri,
25 Christus illud dona Dei appellat et in dona Dei uiduam duos
quadrantes misisse significat, ut magis ac magis possit esse
manifestum quia *qui miseretur pauperis Deo faenerat* [b].

14 omnes enim – autem de *(l. 15)* > *S* ‖ de eo : eo *S*   deo *Y G* ‖ abundauit <*V*> : -dabat *D h* ‖ 15 in dona dei > *e* ‖ omnem : omne *G¹ R* ‖ 16
quemcumque : quodcumque *S R*   quod *G¹*   quem *G²* ‖ habuit uictum : ~
m p ‖ 17 gloriosa : gloriasa *m* ‖ 18 iudicii > *m¹ p* ‖ meruit iudicis : ~ *m p*
‖ 19 atque : at quae *Y* ‖ infelicitatis <*V*> : infidel- *h* ‖ et > *m* ‖ uidua² : >
S R m²   uiduae *D* ‖ 20 cumque + in *P¹ W Y* ‖ 22 poena + et *m p* ‖ sterilem diuitem : -li -ti *G²* ‖ sterilem diuitem ~ maneat *e* ‖ 23 operari etiam :
~ *m p* ‖ debeant : debent *m* ‖ intellegamus <*V*> : intelligamus *R* ‖ haec :
hanc *R m p* ‖ 24 opera <*V*> : + a *D*   operam *m p* ‖ eum : cum *R m p e* ‖
eum quisque haec : haec cum quisque *G* ‖ quisque : quisquis <*V*> ‖ faciat :
facit *R m p* ‖ deum : deo *S*   dominum *R* <*V*> ‖ 25 dona¹ : donum *D²* ‖
dona dei¹ : > *F¹*   dei munus *F²* ‖ uiduam : uidua *R h* ‖ 26 misisse : mis-
sisse *P* ‖ ac magis > *m p* ‖ possit : posset *F S G D R h m p* <*V*> *Sim* ‖ 27
pauperis : pauperi *P Y G D² R h m e* ‖ deo : domino *F*   deum *W Y* <*V*>

15. a. Lc 21, 3-4 b. Pr 19, 17.

1. On sait que le sens originel, étymologique de *felix* avait été « qui produit des fruits, fécond ». *Fecundus* l'a supplanté dans cette acception et *felix*
et *felicitas* ont très vite signifié « heureux » et « bonheur », mais leur parenté
étymologique avec *fecundus* et *fecunditas* est toujours restée présente à l'esprit des écrivains latins, notamment Virgile, Pline l'Ancien, Quintilien.
2. Faut-il éditer ici *possit* ou *posset* ? Voir la note complémentaire 12,
p. 182 s.

Car tous les autres ont pris sur leur superflu pour mettre dans les offrandes à Dieu. Elle, elle a pris sur sa misère et mis tout ce qu'elle avait pour vivre [a]. »

Quel bonheur et quelle gloire pour cette femme que d'avoir mérité, avant même le jour du jugement, d'être louée par la bouche du juge ! Que les riches sentent la honte de leur stérilité et de leur infécondité [1]. Voici une veuve, une veuve sans ressources, qui pratique la bienfaisance ; tout ce qu'on donne va aux orphelins et aux veuves, et pourtant elle donne alors qu'elle aurait dû recevoir, afin que nous sachions quel châtiment attend le riche au cœur stérile, puisque cet épisode enseigne que la bienfaisance est un devoir même pour les pauvres. Et pour nous faire comprendre que ces œuvres de bienfaisance sont un don offert à Dieu et que tout homme qui les pratique se crée des titres auprès de Dieu, le Christ appelle cela des « offrandes à Dieu », il fait remarquer qu'une veuve a mis dans les offrandes à Dieu deux quarts d'as, afin que puisse [2] apparaître avec une évidence encore plus grande que « celui qui prend pitié du pauvre prête à Dieu [b 3] ».

3. Quoique pleinement intégré à la phrase de Cyprien, *qui miseretur pauperis Deo faenerat* est une citation textuelle des *Proverbes* (19, 17). ~ L'allusion à ce verset de l'Écriture est fréquente chez Cyprien (cf. REBENACK 1962, p. 128) : *De habitu uirginum* 11 ; *De lapsis* 35 ; *De dominica oratione* 33, et dans le *De opere* lui-même aux ch. 16 (*Deus faeneratur*) et 26 (*Deum computat debitorem*). Sauf dans le dernier exemple, l'allusion se manifeste par l'emploi de l'expression *Dominum / Deum / Domino / Deo faenerare*. ~ Pour la construction du complément de personne avec le verbe *f(a)enerare* les manuscrits, et les éditeurs, oscillent entre le datif et l'accusatif ; l'emploi du passif (*Deus faeneratur* à la fin du ch. 16) est assuré. ~ Pour ce qui concerne la construction du complément du verbe *misereri*, ici et au ch. 33 du *De dominica oratione*, les manuscrits utilisés par les éditeurs du *Corpus Christianorum* se partagent à peu près également entre *pauperis* et *pauperi*. Dans *Ad Quirinum* 3, 1, l'éditeur a retenu la variante plus rare *pauperem*. Le génitif est seul classique, mais le *Thesaurus Linguae Latinae* relève un certain nombre d'exemples du datif et de l'accusatif à l'époque des premiers textes chrétiens, notamment dans les vieilles traductions latines de la Bible.

16. Sed nec illa res, fratres carissimi, a bonis operibus et iustis refrenet et reuocet christianum quod excusari se posse aliquis existimet beneficio filiorum, quando in inpensis spiritalibus Christum cogitare qui accipere se professus est debeamus, nec conseruos liberis nostris sed Dominum praeferamus, ipso instruente et monente : *Qui diligit,* inquit, *patrem aut matrem super me non est me dignus, et qui diligit filium aut filiam super me non est me dignus* [a]. Item in Deuteronomio ad corroborationem fidei et dilectionem Dei paria conscripta sunt : *Qui dicunt,* inquit, *patri et matri : non noui te, et filios suos non agnouerunt, hi custodierunt praecepta tua et testamentum tuum seruauerunt* [b]. Nam si Deum toto corde diligimus, nec parentes nec filios Deo praeferre debemus.

16. *F S (usque* custodie- *l. 11, postea deest) P W Y G D R h m p e a (ab* (con)scripta, *l. 10) <V>*

1 res > W ‖ carissimi : dilectissimi *h m* ‖ a bonis : ab omnibus *F* ‖ 2 excusari : -sare *S G D R m e* ‖ se : > *m D¹* (posse se *D²*) ‖ 3 in *<V>* > *S m p* ‖ 5 sed : + deum *R¹* + domino *R²* ‖ dominum : domino *S* dominos *h* deum *m p* ‖ 6 instruente : struente *m p* ‖ monente : dicente *S* ‖ 7 patrem : patr*** (patrunm ?) *F* ‖ matrem : matrnai *F* ‖ 7 et qui – dignus *(l. 8)* > *G e* ‖ 9 corroborationem : conparationem *m p* ‖ dilectionem : – nis *D²* ‖ 10 con]scripta *hic rursus inc. a* ‖ dicunt : diligunt *S¹* ‖ inquit > *a* ‖ et *<V>* : aut *Y R h m p* ‖ et matri > *S* ‖ 11 suos > *R* ‖ agnouerunt *<V>* : nouerunt *G* ‖ hi : > *R* hii *F G* hic *S* ‖ custodierunt > *R e* custodiunt *F* costodie[runt *hic des. S* ‖ 12 testamentum tuum : testamentuum *P Y* ‖ seruauerunt : seruerunt *F¹* custodierunt *m p* ‖ 13 deum : dominum *F D R* ‖ diligimus : dilimus *W* ‖ deo > *m p¹* ei *p²* domino *R* ‖ 14 praeferre : praefere *G*

16. a. Mt 10, 37   b. Dt 33, 9

1. Le mot *conseruus* (grec σύνδουλος), « compagnon de service » (ou d'esclavage : c'est la même chose dans le monde antique), est déjà employé par saint Paul au sens de « compagnon dans le service du Seigneur » (Col 1, 7). Mais le sens profane des mots, qui amènerait à traduire : « nous préférons alors à nos enfants non pas des compagnons d'esclavage, mais le Seigneur », demeure ici quelque peu présent sous l'interprétation chrétienne.

2. Cf. *De zelo et liuore* 15 : *ipso exhortante et monente,* comme ici avant une citation de l'Écriture au début de laquelle se lira l'incise *inquit.*

**« Dois-je priver mes enfants du nécessaire ? »
Réponses de l'Écriture**

16. Mais, frères très chers, le chrétien ne doit pas non plus se laisser retenir et détourner de pratiquer une bonne et juste bienfaisance en croyant pouvoir s'excuser grâce aux enfants qu'il a, puisque, quand nous dépensons selon ce que veut l'Esprit, nous devons avoir présent à la pensée le Christ, qui a proclamé que c'était lui qui recevait nos aumônes, et puisque nous préférons alors à nos enfants non pas des compagnons de service [1], mais le Seigneur, comme lui-même nous en instruit et nous en avertit [2] : « L'homme qui aime, dit-il, son père ou sa mère plus que moi n'est pas digne de moi ; l'homme qui aime son fils ou sa fille plus que moi n'est pas digne de moi [a]. » De même dans le *Deutéronome,* pour fortifier notre fidélité et nous porter à aimer Dieu, de semblables paroles ont été notées : « Ceux qui disent à leur père et à leur mère : "Je ne te connais pas", et qui n'ont pas reconnu leurs fils, ce sont eux qui ont gardé tes prescriptions et observé ton alliance [b][3]. » Car si nous aimons Dieu de tout notre cœur, nous ne devons préférer à Dieu ni nos parents ni nos enfants.

---

3. Ce passage du *Deutéronome* (33, 9) est extrait des bénédictions que ce livre met dans la bouche de Moïse peu avant sa mort ; il concerne la tribu de Lévi et fait allusion à un épisode rapporté en Ex 32, 26-29 : après le scandale du veau d'or, les fils de Lévi, à l'appel de Moïse, passent dans le camp l'épée à la main et massacrent trois mille de leurs compatriotes qui ont commis le péché d'idolâtrie, sans que d'éventuels liens de famille ou d'amitié les arrêtent. Cyprien applique ce texte à une situation absolument différente ; il l'adapte d'ailleurs en le mettant au pluriel et en supprimant la mention des frères qui précédait celle des fils, mais curieusement il garde de l'intermédiaire grec une discordance de temps qui passe mal dans son latin ; le texte de la Septante se traduit en effet littéralement ainsi : « Celui qui dit / disait (ὁ λέγων, participe présent que traduit *qui dicunt*) à son père et à sa mère : "Je ne vous vois pas" – et il n'a pas non plus reconnu ses frères, et il a aussi méconnu ses fils – celui-là a gardé tes enseignements et maintenu fidèlement ton alliance. »

15   Quod et Iohannes in epistula sua ponit caritatem Dei
apud eos non esse quos uideamus operari in pauperem nolle.
Qui habuerit, inquit, *substantiam mundi et uiderit fratrem*
suum desiderantem et cluserit uiscera sua, quomodo caritas
Dei manet in illo ^c ? Si enim Deus eleemosynis pauperum
20   faeneratur ^d et cum datur minimis Christo datur ^e, non est
quod quis terrena caelestibus praeferat nec diuinis humana
praeponat.

17. Sic uidua illa in tertio Regnorum libro ^a cum in sicci-
tate et fame consumptis omnibus de modico farre et oleo
quod superfuerat fecisset cinericium panem quo absumpto
moritura cum liberis esset, superuenit Helias et petit sibi
5   prius ad edendum dari, tunc quod superfuisset inde illam
cum filiis suis uesci. Nec obtemperare illa dubitauit aut
Heliae filios mater in fame et egestate praeposuit. Fit immo

15 Iohannes : iohannis *e* ‖ ponit + et dicit *G R* ‖ 16 pauperem : pauperes
G R h a ‖ 17 habuerit : habuerint *F* ‖ substantiam + huius *R* ‖ uiderit <*V*> :
uiderint *F* ‖ 18 desiderantem + aliquid *R* <*V*> ‖ cluserit : clauserit *P Y D m*
‖ sua <*V*> + ab eo *Y h* ‖ 18-19 caritas dei manet : poterit caritas dei manere
<*V*> ‖ 19 dei > *F¹* ‖ illo : illum *F*   eo *a* ‖ deus : deo *F*   de *m*

17. *F P W Y G D R h m p e a* <*V*>
1 illa > *a* ‖ cum > *Y* ‖ 2 de modico > *R* ‖ farre : > *a¹*   farrae *Y D a²*
<*V*>   farrinae *R* ‖ et oleo : dolio *a* ‖ 3 quod superfuerat : quae -rant *m* ‖
cinericium <*V*> : subcinericium *G* ‖ quo : quod *D¹ R* ‖ absumpto :
adsumpta *G¹*   adsumpto *G² R h e* ‖ 4 liberis : + suis *R*   filiis *F* ‖ petit :
petiit *e* ‖ 5 illam : > *D*   illa *R m p* ‖ 6 suis > *G* ‖ aut > *R¹* ‖ 6-7 aut Heliae
– placeat *(l. 8)* > *G* ‖ 7 et egestate > *e* ‖ fit : sit *F* ‖ immo + fiat *a²*

c. 1 Jn 3, 17   d. Cf. Pr 19, 17   e. Cf. Mt 25, 40.
17. a. Cf. 1 R 17, 10-16

1. *Deus eleemosynis pauperum faeneratur* renvoie à la citation des
Proverbes qui achevait le ch. 15, *cum datur minimis Christo datur* annonce
la grande citation évangélique du ch. 23, et plus particulièrement *quamdiu*
fecistis uni horum ex fratribus meis **minimis** *mihi fecistis* (l. 28-29). ∼ Même
rapprochement de ces deux allusions scripturaires dans le *De dominica ora-*
tione 33, 630 : *qui miseretur pauperi* (ou *pauperis,* selon les manuscrits) *Deo*
faenerat et qui dat minimis Deo donat.

C'est aussi ce que Jean expose dans sa lettre, en disant qu'il n'y a pas d'amour de Dieu chez ceux que nous voyons refuser de pratiquer la bienfaisance envers le pauvre : « Quand un homme possède les biens du monde, qu'il voit son frère manquer et qu'il lui ferme ses entrailles, comment l'amour de Dieu peut-il demeurer en lui [c] ? » Oui, si Dieu est redevable des aumônes versées au pauvre [d], si lorsqu'on donne aux plus petits on donne au Christ [e][1], il n'y a pas de raison de préférer ce qui est de la terre à ce qui est du ciel, de mettre ce qui est humain avant ce qui est de Dieu.

17. Considérons la veuve du troisième livre des *Règnes* [a][2] qui, ayant épuisé toutes ses réserves en un temps de sécheresse et de disette, avait pris un dernier petit reste de blé et d'huile pour faire cuire un pain sous la cendre [3], et s'apprêtait à mourir avec ses enfants [4] quand il serait fini. Élie survient et lui demande de lui en donner d'abord à manger, ensuite elle et ses fils se restaureraient avec ce qui resterait. Elle n'hésita pas à lui obéir, elle ne fit pas, quoique mère, passer ses fils avant Élie, en un temps de faim et de dénuement. Bien au contraire voici accompli sous le regard

---

2. Le Troisième livre des *Règnes* selon la Septante est le Premier livre des *Rois* selon l'hébreu.

3. Dans le texte biblique, auquel Cyprien se réfère probablement de mémoire, la veuve n'a pas encore cuit le pain lorsque Élie la rencontre, elle est en train de ramasser du bois pour cet usage. Et l'obéissance de la veuve n'est mentionnée qu'après qu'Élie a exprimé les promesses du Seigneur touchant le grain et l'huile. L'ordre des événements, tel que Cyprien l'a consciemment ou non remanié, accentue les mérites de la veuve et les rend exemplaires.

4. En 1 R 17, 13, la Septante parle effectivement d'enfants, au pluriel ; le texte hébreu, d'un fils. Cette divergence peut être interprétée de deux manières : 1) la traduction grecque reposerait sur un texte hébreu plus ancien, remanié ultérieurement parce que 1 R 17, 17 mentionne seulement, à propos d'une maladie, « le » fils de cette veuve ; 2) le texte grec, ou sa source hébraïque, aurait été influencé par l'épisode parallèle de 2 R 4, 1-7, où la veuve secourue par Élisée a deux fils.

in conpectu Dei quod Deo placeat, prompte ac libenter
quod petebatur offertur nec de abundantia portio sed de
10 modico totum datur, et esurientibus liberis alter prius pascitur, neque in penuria et fame cibus ante quam misericordia cogitatur, ut dum in opere salutari carnaliter uita
contemnitur spiritaliter anima seruetur. Helias itaque typum
Christi gerens et quod ille pro misericordia uicem singulis
15 reddat ostendens respondit et dixit : *Haec dicit Dominus :*
Fidelia farris non deficiet et capsaces olei non minuet usque
in diem quo dabit Dominus imbrem super terram [b].

Secundum diuinae pollicitationis fidem multiplicata sunt
uiduae et cumulata quae praestitit et operibus iustis ac mise-
20 ricordiae meritis augmenta et incrementa sumentibus farris
et olei uasa conpleta sunt. Nec filiis abstulit mater quod

---

8 quod : que *F* ‖ deo : domino *R* ‖ prompte : propere *m p* ‖ 10 liberis
> *F¹* ‖ 11 et : ac *G* ‖ et fame > *a¹* ‖ 12 ut : et *W* ‖ opere : ope *m p* ‖ salu-
tari : spiritali *G* ‖ 13 spiritaliter anima seruetur > *a* ‖ 15 reddat : redat *G*
reddebat *a* ‖ ostendens + et *Y* ‖ dixit : dicit *W* ‖ dominus > *G¹* ‖ 16 fidelia : ydria *G*   dolium *a* ‖ farris : farinae *F* ‖ et capsaces olei : nec in uas
oleum *F* ‖ minuet <*V*> : minuetur *G R h m p a*   minuentur *P D* ‖ 17 quo :
qua *R* ‖ 18 multiplicata : -tae *a* ‖ 19 cumulata : -tae *a* ‖ et : in *D h* ‖ iustis : suis *a* ‖ ac : ad *F* ‖ 20 farris : farriis *G*

---

b. 1 R 17, 14.

---

1. *in opere salutari* : cette « bienfaisance secourable » est en même temps
une « œuvre de salut », une œuvre qui mène au salut. On retrouve ici non
seulement les deux valeurs du mot *opus* proposées dès le premier chapitre,
mais aussi la double visée de l'adjectif *salutaris* : la sauvegarde de la santé
du corps, et le salut donné par Dieu. ~ On a traduit *in* + ablatif par « par ».
Cette phrase de Cyprien, pour laquelle une interprétation littérale telle que
« dans l'exercice d'une bienfaisance secourable » est tout à fait possible,
permet de comprendre comment, à partir d'un emploi classique de la préposition (« dans » une circonstance, « quand il s'agit de », « à l'occasion
de » – par exemple CÉSAR, *BG* 1, 27, 4), peut se développer une valeur ins-
trumentale ; ce qui n'était d'abord qu'un effet de sens en contexte est
devenu rapidement un emploi particulier de la préposition en latin tardif,
avec des exemples dès TERTULLIEN (*Pal.* 1 ; *Marc.* 5, 20). Cette évolution

de Dieu ce qui pouvait plaire à Dieu, et offert avec empressement et de bon cœur ce qui était demandé ; voici non pas une part soustraite à l'abondance, mais un faible reste donné tout entier ; ses enfants ont le ventre vide, et un autre mange avant eux ; il règne la disette et la faim, et la nourriture ne la préoccupe qu'après la miséricorde, si bien que dans le temps où par une bienfaisance secourable[1] la vie se trouve physiquement méprisée, la personne est spirituellement sauvée. C'est pourquoi Élie, assumant en figure le rôle du Christ[2], et révélant que celui-ci paie chacun de retour pour sa miséricorde, prit la parole en ces termes : « Voici ce que dit le Seigneur : "La jarre de grain ne s'épuisera pas, la cruche d'huile ne se videra pas, jusqu'au jour où le Seigneur répandra la pluie sur la terre"[b]. »

Conformément à l'assurance donnée par Dieu dans sa promesse, la veuve vit se multiplier et grossir ce qu'elle avait fourni ; sa juste bienfaisance et les mérites de sa miséricorde lui valurent un supplément et un accroissement[3], et les récipients de grain et d'huile se retrouvèrent pleins[4]. Cette mère n'a pas retiré à ses fils ce qu'elle a donné à Élie, mais

a pu être favorisée par une évolution semblable, et antérieure, du grec ἐν, amorcée dès la poésie classique (ESCHYLE, *Les sept contre Thèbes* 414 : ἐν κύβοις = en jouant aux dés, par les dés), et largement présente dans le grec hellénistique et biblique (par exemple Mc 3, 22 : ἐν τῷ ἄρχοντι τῶν δαιμονίων = par le prince des démons).

2. *typum Christi gerens* : sur la notion de « figure » ou de « type » chez Cyprien, voir la note complémentaire 13, p. 185 s.

3. Littéralement : « sa juste bienfaisance et les mérites de sa miséricorde recevant un supplément et un accroissement, les récipients (...) se retrouvèrent pleins ».

4. Le texte biblique (1 R 17, 14.16) dit seulement que le grain et l'huile ne s'épuisèrent pas. C'est dans un épisode un peu analogue du Second livre des *Rois* (4, 1-7 : Cyprien dirait le Quatrième livre des *Règnes*) qu'un autre miracle se produit sur l'intervention d'Élisée, et que chez une veuve un reste d'huile se multiplie au point d'emplir tous les récipients qu'on présente, afin qu'elle puisse payer ses créanciers et éviter l'esclavage à ses fils.

Heliae dedit, sed magis contulit filiis quod benigne et pie
fecit. Et illa nondum Christum sciebat, nondum praecepta
eius audierat, non cruce et passione eius redempta cibum et
25 potum pro sanguine rependebat, ut ex hoc appareat quantum in ecclesia peccet qui se et filios Christo anteponens
diuitias suas seruat nec patrimonium copiosum cum indigentium paupertate communicat.

18. Sed enim multi sunt in domo liberi et retardat te
numerositas filiorum quominus largiter bonis operibus
insistas. Atqui hoc ipso operari amplius debes, quo multorum pignorum pater es. Plures sunt pro quibus Dominum
5   depreceris, multorum delicta redimenda sunt, multorum
purgandae conscientiae, multorum animae liberandae. Vt in
hac uita saeculari alendis sustinendisque pignoribus quo
maior est numerus hoc maior et sumptus est, ita et in uita
spiritali atque caelesti quo amplior fuerit pignorum copia
10 esse et operum debet maior inpensa.

25 pro : > *p¹* et *m¹ p²* ‖ sanguine : -nem *m¹* ‖ 26 filios + suos *R m p*
‖ Christo : > *m¹ p* christi *e* ‖ anteponens : ante praeponens *F* ‖ 27 indigentium : indigentum *G* ingentium *D¹* egentium *D²*

18. *F P W Y G D R h m p e a* <*V*>
3 atqui : adqui *F¹ W Y Sim* adquin *F² P* <*V*> atquin *D* atqui in *h*
atque in *R* atque *G m¹ p* atque de *a* ‖ ipso : ipsum *m p* ‖ amplius : plurimum <*V*> ‖ debes + ut filios ... commendes (= *l. 21) R* ‖ quo : qui *a* ‖ 4
pignorum : pignerum *G D* ‖ pater es : patres *Y* ‖ dominum <*V*> : deum *R
m p* ‖ 5 depreceris : debes depraecari *m p* ‖ 6 purgandae <*V*> : > *e* pur-
gendae *m* ‖ 7 saeculari : -ria *W¹ a* ‖ sustinendis : sustentandis *G* ‖ pignoribus : pigneribus *D R a* ‖ 8 hoc : eo *G* ‖ maior ∼ et sumptus *R* ‖ et¹ > *m
p* ‖ est > *G* ‖ ita > *W¹* ‖ 9 pignorum : pignerum *D* ‖ 10 et > *G* ‖ inpensa :
retributio *m* instantia *p*

plutôt elle a fait revenir sur ses fils l'effet de sa bonté et de sa piété. Et elle ne connaissait pas encore le Christ, elle n'avait pas encore entendu ses prescriptions ; sans avoir été rachetée par sa croix et sa passion, elle lui rendait en nourriture et en boisson le prix de son sang[1] : ceci a eu lieu pour qu'apparaisse[2] combien est pécheur dans l'Église celui qui se mettant soi-même et ses enfants avant le Christ préserve sa fortune et s'abstient de partager son riche patrimoine avec la misère des pauvres.

18. Mais c'est que les enfants sont nombreux à ton foyer, et le grand nombre de tes fils te retient de t'attacher à faire le bien généreusement. Et pourtant c'est précisément une raison pour exercer la bienfaisance plus largement, que tu sois le père de nombreuses[3] têtes chères. Le nombre est plus grand de ceux pour qui tu as à supplier le Seigneur, les fautes d'un grand nombre sont à racheter, les consciences d'un grand nombre à purifier, les âmes d'un grand nombre à délivrer. Comme dans la vie de ce monde, pour élever et entretenir des êtres chers, plus ils sont nombreux et plus les frais sont grands, de même aussi dans la vie de l'Esprit et du ciel, plus largement abondent les têtes chères et plus importante doit être la dépense en bienfaisance.

1. En nourrissant Élie démuni, elle nourrissait sans le savoir le Christ, et ainsi, avant même d'avoir été rachetée par le sang qu'il verserait un jour, elle lui en payait le prix selon ses moyens. Cf. *Christo pro pretio passionis et sanguinis uicem ... rependamus* (*De opere* 23, l. 4-6)

2. Voir p. 182 s., la note complémentaire 12 (les temps des verbes au subjonctif dans les propositions subordonnées).

3. L'emploi du positif *multorum*, au lieu du comparatif attendu selon la syntaxe la plus classique après *hoc amplius ... quo*, et de nouveau dans la phrase qui suit le recours à *multorum* après *plures*, semblent indiquer chez Cyprien un désir de ne pas accumuler lourdement les comparatifs, dès lors que deux d'entre eux ont établi exactement le sens, et alors que les phrases suivantes vont l'obliger à en introduire d'autres encore.

Sic Iob sacrificia numerosa pro liberis offerebat, quantusque erat in domo pignorum numerus tantus dabatur Deo et numerus hostiarum. Et quoniam cotidie deesse non potest quod peccetur in conspectu Dei, sacrificia cotidiana non
15 deerant quibus possent peccata tergeri. Probat scriptura dicens : *Iob homo uerus et iustus habuit filios septem et filias tres et emundabat illos offerens pro eis hostias Deo secundum numerum illorum et pro peccatis eorum uitulum unum* [a]. Si ergo uere filios tuos diligis, si eis exhibes plenam
20 et paternam dulcedinem caritatis, operari magis debes ut filios tuos Deo iusta operatione commendes.

19. Nec eum liberis tuis cogites patrem qui et temporarius et infirmus est, sed illum pares qui aeternus et firmus filiorum spiritalium pater est. Illi adsigna facultates tuas quas heredibus seruas : ille sit liberis tuis tutor, ille curator,
5 ille contra omnes iniurias saeculares diuina maiestate pro-

---

11 sic <V> + et *m p* ‖ quantusque : quantosque *F* ‖ 12 pignorum : pignerum *F² D m* ‖ tantus : tantum *m p* ‖ 13 quoniam : quom *P* ‖ potest : potuit *m* ‖ 14 quod : quin *m* ‖ peccetur > *m* ‖ dei + offenderent *m* ‖ 14-15 non deerant > *h¹* ‖ 15 possent : possint *F*   possunt *G* ‖ peccata tergeri : peccatergeri *Y* ‖ tergeri : tergi *D² R²* e *a* (+ quod *a*)   tergere *m p* ‖ 16 septem *uel* VII : IIII *a* ‖ 17 emundabat : mundabat *R*   emundabit *a* ‖ illos : eos *e* illas *a* ‖ deo : domino *R* ‖ 18 illorum : eorum *h* <V> ‖ 18-19 pro peccatis eorum ~ uitulum unum *R* ‖ eorum : illorum *h* <V> ‖ 19 uere ~ filios tuos *h m* ‖ diligis : diliges *F* ‖ exhibes : exhibis *F* ‖ plenam : ueram *G* ‖ 20 operari ~ magis debes *m p* ‖ magis debes : ~ *G* ‖ 21 iusta operatione ~ commendes *Y*

19. *F P W Y G D R h m p e a* <V>
1 eum : te *G R a* ‖ temporarius : temporalis *m a* ‖ 2 est : es *G R a* ‖ pares : > *G*   patrem *D R h m a* ‖ 3 est : es *W*1

---

18. a. Jb 1, 1a.2.5.

---

1. L'appel au texte du livre de *Job* implique que la pratique de la bienfaisance et de l'aumône dans l'Église constitue un sacrifice, donc met en jeu le caractère sacerdotal de la communauté des fidèles. Ceci est à mettre en relation avec la responsabilité qui pour Cyprien incombe à l'évêque, c'est-

C'est ainsi que Job offrait pour ses enfants des sacrifices [1] en nombre : autant il avait dans sa famille de têtes à chérir, autant il donnait de victimes à Dieu. Et puisqu'on ne peut manquer de pécher chaque jour sous le regard de Dieu, les sacrifices de chaque jour ne manquaient pas, propres à effacer leurs péchés. L'Écriture l'approuve en ces termes : « Job, homme de vérité et de justice, eut sept fils et trois filles, et il les purifiait en offrant à Dieu en leur faveur des victimes selon leur nombre, et pour leurs péchés à tous un veau [a][2]. » Si donc tu aimes véritablement tes fils, si tu leur montres la douceur d'une affection pleinement paternelle, tu dois faire davantage le bien, pour recommander tes fils à Dieu par une juste bienfaisance.

19. Ne va pas non plus penser que le père de tes enfants, ce soit ce père qui n'a qu'un temps et point de solidité, mais procure-leur celui qui demeure, éternellement et solidement, père de fils selon l'Esprit [3]. Remets-lui la fortune que tu réserves à tes héritiers ; qu'il soit le tuteur de tes enfants, l'administrateur de leurs affaires [4], leur protecteur contre

à-dire à celui qu'il appelle spécifiquement *sacerdos*, de veiller à l'exercice de la charité et au soin des démunis (*Ep.* 5, 1).

2. Littéralement : « et un seul veau pour leurs péchés ». La traduction exacte du grec serait : « et un seul veau à propos des péchés, pour leurs âmes ». La citation de Cyprien assemble des extraits discontinus des v. 1.2.5 de Jb 1, connu dans son texte grec. La Vulgate, avec l'hébreu, ne mentionne pas le veau : « il offrait un holocauste pour chacun ».

3. Les humains sont rendus fils « spirituels » de Dieu le Père par l'action et le témoignage de l'Esprit en eux (Rm 8, 14.16 ; Ga 4, 6).

4. Le redoublement synonymique associe, sans s'arrêter à leur différence, deux mots qui dans le vocabulaire du droit romain désignent deux réalités proches mais distinctes : le *tutor* veille sur la personne et les biens d'un mineur, le *curator* administre les biens d'une personne « incapable » au sens juridique de ce terme (REBENACK 1962, p. 135). ~ La *Lettre* 1, qui traite précisément de l'interdiction édictée par l'Église qu'un clerc soit choisi comme tuteur ou curateur, ne manque pas d'employer les deux mots, ainsi que *tutela* et *cura*, avec leur valeur juridique.

tector. Patrimonium Deo creditum nec respublica eripit nec
fiscus inuadit nec calumnia aliqua forensis euertit. In tuto
hereditas ponitur quae Deo custode seruatur. Hoc est caris
pignoribus in posterum prouidere, hoc est futuris heredibus
10 paterna pietate consulere secundum fidem scripturae sanc-
tae dicentis : *Iuuenior fui et senui et non uidi iustum dere-
lictum neque semen eius quaerens panem. Tota die miseretur et faenerat et semen eius in benedictione est* ᵃ. Et iterum :
*Qui conuersatur sine uituperatione in iustitia beatos filios
15 relinquet* ᵇ. Praeuaricator itaque et proditor pater es, nisi
filiis tuis fideliter consulas, nisi conseruandis eis religiosa et
uera pietate prospicias. Qui studes terreno magis quam caelesti patrimonio, filios tuos diabolo mauis commendare
quam Christo. Bis delinquis et geminum ac duplex crimen
20 admittis, et quod non praeparas filiis tuis Dei patris auxilium, et quod doces filios patrimonium plus amare quam
Christum.

6 deo : dei *D¹* ‖ creditum : -to *G* credentium *D e* + nec fur rapit *h* ‖
eripit : eruit *h* ‖ 7-8 in – ponitur > *G* ‖ 9 pignoribus : pigneribus *D a* ‖ 10
consulere : consulat *Y* ‖ 11 iuuenior : iunior *F R m a* ‖ non <*V*> : numquam *F* ‖ 12 quaerens : quaerentem *F* egens *h* ‖ panem : pane *h* ‖ 13 faenerat <*V*> : commodat *F* ‖ est <*V*> : erit *F D e¹* ‖ 14 iustitia <*V*> : iustitiam *F R¹* ‖ 15 relinquet (καταλείψει LXX) : -quid *P Y G¹ D²* -quit *W
G² D¹ m p e* relinq* *h* + p̄ *Y* ‖ 16 conseruandis : conuersandis *e* ‖ eis : his
G ‖ 17 qui : quid *F G e* quid tu *a* ‖ terreno magis : ∼ *m p* ‖ 18 tuos +
magis *D²* ‖ diabolo : diabulo *W* zabulo *a* ‖ mauis <*V*> : uis *D* magis *F
G m p e* ‖ 20 filiis : filis *F* ‖ 21 filios + tuos *R*

19. a. Ps 36, 25-26 b. Pr 20, 7.

1. Une lettre reçue par Cyprien (*Ep.* 24, 1) cite le cas de confesseurs de
la foi condamnés à l'exil et dont les biens sont désormais détenus par le
fisc, c'est-à-dire le trésor impérial. Déjà cinquante ans auparavant, sous
Septime Sévère, les biens de la famille d'Origène, dont le père venait de
mourir martyr, avaient ainsi été « confisqués » (JÉRÔME, *De uiris illustribus* 54). *Fiscus inuadit* ne semble pas avoir été suggéré à Cyprien par un
texte antérieur et pourrait donc venir directement de l'expérience contemporaine. Le thème sera repris par ZÉNON DE VÉRONE (*Tract.* 5, l. 106) et
par CHROMACE D'AQUILÉE (*Sermo* 5, l. 69).

toutes les injustices de ce monde grâce à sa majesté divine. Lorsque notre patrimoine a été confié à Dieu, l'État ne s'en empare pas, le fisc[1] ne se jette pas dessus, telle ou telle manœuvre frauduleuse[2] ne vient pas nous en déposséder au tribunal. On met un héritage en sécurité quand Dieu est le gardien qui le protège. C'est cela prévoir l'avenir de ces précieuses têtes chères, c'est cela veiller aux intérêts de ses héritiers futurs avec une tendresse de père, conformément à la promesse donnée dans la sainte Écriture en ces termes : « J'ai été jeune et j'ai vieilli, et je n'ai pas vu le juste abandonné, ni sa postérité en quête de pain. Tout le jour il a pitié et il prête, et sa postérité est bénie [a]. » Et encore : « L'homme qui vit sans reproche dans la justice laissera ses fils heureux [b]. » Ainsi, tu es un père déloyal et félon si tu ne prends pas un soin fidèle de tes fils, si tu ne pourvois pas à leur sauvegarde avec une tendresse religieuse et vraie[3]. En montrant plus de zèle pour le patrimoine de la terre que pour celui du ciel, tu préfères confier tes fils au diable plutôt qu'au Christ. Tu te mets deux fois en faute, tu encours une double et jumelle mise en accusation, en ne préparant pas pour tes fils le secours de la paternité de Dieu[4], et en enseignant à tes fils à aimer leur patrimoine plus que le Christ.

---

2. Cf. *Ad Donatum* 10, 212. *Forensis* = du tribunal.

3. La phrase qui s'achève ici est écrite de telle sorte qu'il n'y aurait pas à y changer un mot s'il s'agissait d'assurer aux enfants la simple sauvegarde de leur patrimoine et de bonnes conditions matérielles d'existence, mais tout ce qui précède interdit cette interprétation, et d'ailleurs si l'on s'y trompait la suite rétablirait la vraie pensée de l'écrivain. Ce joli procédé d'auteur veut faire percevoir que c'est la même sollicitude paternelle qui s'exerce de manière dévoyée ou authentique dans les deux conduites affrontées ici.

4. *Dei patris* : l'expression prend dans le contexte deux valeurs conjointes, « Dieu qui est leur père » (comme il l'est de tout homme) et « Dieu devenant leur père » (parce que le père terrestre les lui confie en déposant auprès de lui leur patrimoine).

20. Esto potius liberis tuis pater talis qualis Tobias exti-
tit. Da utilia et salutaria praecepta pignoribus qualia ille filio
dedit, manda filiis tuis quod et ille mandauit dicens : *Et*
nunc, fili, mando uobis, seruite Deo in ueritate et facite
5 *coram illo quod illi placet, et filiis uestris mandate ut faciant*
iustitiam et eleemosynas et sint memores Dei et benedicant
nomen eius omni tempore [a]. Et iterum : *Omnibus diebus*
uitae tuae, fili, Deum in mente habe et noli praeterire prae-
cepta eius, iustitiam fac omnibus diebus uitae tuae et noli
10 *ambulare uiam iniquitatis, quoniam agente te ex ueritate*
erit respectus operum tuorum. Ex substantia tua fac eleemo-
synam et noli auertere faciem tuam ab ullo paupere. Ita fiet
ut nec a te auertatur facies Dei. Prout habueris, fili, sic fac :
si tibi fuerit copiosa substantia, plus ex illa fac eleemosynam.
15 *Si exiguum habueris, ex hoc ipso exiguo communica. Et ne*
timueris, cum facis eleemosynam : praemium bonum reponis

---

20. *F P W Y G D R h m p e a* <V>

1 pater talis : ~ *a* ‖ 2 utilia : ut illi *D¹* > *D²* (da et tu *in margine recen-*
tiore manu) ‖ pignoribus : pigneribus *D a* ‖ ille > *R* ‖ 3 filiis : filis *F* ‖ et
> *a* ‖ 4 fili : filii *P W¹ Y G D p¹ a* <V> ‖ uobis <V> : tibi *h* ‖ seruite <V> :
serui *h* ‖ deo <V> : domino *a* ‖ et <V> > *W* ‖ facite <V> : fac *h* ‖ 5 coram
illo <V> > *D h* ‖ illi : ei <V> ‖ placet <V> : placeat *F* ‖ et <V> : > *F* +
uos *m* ‖ uestris <V> : tuis *h* ‖ mandate <V> : manda *h* ‖ ut : et *F* ‖ 6 eleemosynas : -nam *R D e* ‖ et² : ut *R* ‖ dei : deo *R* ‖ 7 eius + in *D R e a* ‖ 8
fili <V> > *e* ‖ fili – tuae (*l. 9*) : > *G¹ a¹* (*G² totum restituit, a²* -eius *tan-*
tum) ‖ deum : dominum *D h* ‖ 10 agente : egente *G¹* ‖ te > *m* ‖ ex ueritate : ueritatem *G* ‖ 11 tuorum + et *h* ‖ 12 fiet : fiat *W Y G* ‖ 13 a te > *Y*
‖ facies <V> : a facie *W¹* ‖ 14 eleemosynam <V> + et *R m p* ‖ 15 habueris : + fili *D* habuerit *e* ‖ ex hoc – timueris (*l. 16*) : > *D¹* ex ipso quantum potes tribue quia *D²* ‖ 16 timueris + fili *h* ‖ praemium + enim *h* <V>
‖ reponis : -nes *D¹ R h m*

---

20. a. Tb 14, 8-9

---

1. *fili.* On sait qu'en latin classique les nominatifs et vocatifs pluriels en
-*ii*, contrairement à ce qui se passe couramment au génitif singulier, ne sont
pas contractés en -*i*. Si la forme *fili*, déjà adoptée par Hartel et Simonetti,

20. Sois plutôt pour tes enfants un père conforme au modèle de Tobie. Donne d'utiles et salutaires instructions à tes chères têtes, comme il fit pour son fils, fais à tes fils les mêmes recommandations que lui, celles-ci : « Et maintenant, fils [1], voici ce que je vous commande : servez Dieu dans la vérité et faites en sa présence ce qui lui plaît ; commandez à vos fils de pratiquer la justice et les aumônes, de se souvenir de Dieu et de bénir son nom en toute circonstance [a]. » Et encore : « Tous les jours de ta vie, mon fils, aie Dieu présent à la pensée, et abstiens-toi de transgresser ses instructions. Pratique la justice tous les jours de ta vie et ne prends pas le chemin de l'iniquité, car si tu te conduis selon la vérité il sera tenu compte de tes œuvres. Prends sur tes biens pour faire l'aumône, et ne détourne jamais ta face d'aucun pauvre. Ainsi de toi non plus la face de Dieu ne se détournera pas. Selon ce que tu auras, mon fils, mesure ce que tu feras : si tes biens sont abondants, prélève davantage pour l'aumône ; si tu n'as que peu de ressources, partage même ce peu. Sois sans crainte, quand tu fais l'aumône : c'est un trésor de valeur que tu mets en réserve pour le jour du besoin, car

---

est la bonne, cette distinction n'est plus observée ici, et les vocatifs pluriel et singulier deviennent homonymes. Le pluriel est garanti dans ce passage par *uobis* et le pluriel des verbes (mais pas dans tous les manuscrits), et par le texte grec, qui porte παιδία (pour le livre de Tobie, le texte latin de Cyprien reproduit le texte long de la version grecque, celui du Sinaiticus ; cf. *TOB*, Ancien Testament, p. 1952). En cet endroit le vieux Tobie ne s'adresse plus à son seul fils, mais aussi aux fils de ce dernier (ce détail, implicite dans le texte long, est explicite en 14, 3 dans le texte court). La Vulgate présente aussi le pluriel (14, 10-11) ; l'original sémitique (hébreu ou araméen) est perdu. ~ Un bon nombre de manuscrits porte la forme régulière (ou régularisée) *filii*. Ce qui rend vraisemblable que le texte portait *fili* dans les premiers siècles de la transmission de l'œuvre, c'est, outre l'ancienneté du manuscrit *F*, le fait qu'un correcteur ait rétabli la forme anormale *fili* dans le cas de *W* et probablement de *p*, et que dans d'autres cas (*h*, mais aussi d'autres manuscrits suivis par Érasme et Baluze) on soit parti de *fili* pour convertir toute la phrase au singulier, contre le texte biblique connu.

tibi in diem necessitatis, quia eleemosyna a morte liberat et
non patitur ire in tenebras. Munus bonum est eleemosyna
omnibus qui faciunt eam coram summo Deo ᵇ.

21. Quale munus est, fratres carissimi, cuius editio Deo
spectante celebratur. Si in gentilium munere grande et gloriosum uidetur proconsules uel imperatores habere prae-
sentes, et apparatus ac sumptus apud munerarios maior est
5 ut possint placere maioribus, quanto inlustrior muneris et
maior est gloria Deum et Christum spectatores habere,
quanto istic et apparatus uberior et sumptus largior exhi-
bendus est, ubi ad spectaculum conueniunt caelorum uir-
tutes, conueniunt angeli omnes, ubi munerario non quadriga

17 diem : die *G m p a* ‖ quia : quoniam *R* ‖ 18 munus bonum : bonum
enim munus *<V>* ‖ 19 eam : ea *P*

21. *F P W Y G D R h m p e a <V>*
1 carissimi *<V>* : dilectissimi *R m p* ‖ cuius + commestio et *a* ‖ editio :
edicio *D¹* praebitio *D²* ‖ 2 spectante : -ti *G* expectante *e* ‖ munere :
munera *e* ‖ gloriosum : copiosum *D* ‖ 3 uel : et *R* ‖ 5 possint : possit *R m
p* possent *a* ‖ inlustrior muneris : -ius munus *D²* ‖ 6 est > *m p* ‖ deum :
dominum *Y e* ‖ habere > *Y* ‖ 7 quanto : quantum *R* ‖ sumptus : sumptu
W ‖ 8 caelorum : angelorum *P* ‖ 9 angeli + eius *e* ‖ munerario : munerarios *m¹* munerarius *p* munerare *D²*

b. Tb 4, 5-11.

1. On voit comment, en intervertissant l'ordre naturel des deux citations prises dans le livre de *Tobie*, Cyprien a placé à la fin de sa quatrième
section le mot *munus*, sur lequel la cinquième section appuie son développement.
2. Pour les problèmes que pose la traduction de *munus*, ici doublement
rendu par « jeux » et par « prestation », voir Introduction IV, p. 31-33. ~
Les jeux dont il est question ici, jeux de l'amphithéâtre (combats de gladiateurs, « chasses », naumachies), du cirque (courses de chars), et repré-
sentations théâtrales, font l'objet d'articles documentés dans tous les dic-

l'aumône délivre de la mort, et elle ne laisse pas entrer dans les ténèbres. L'aumône est une prestation[1] de valeur, pour tous ceux qui la font en présence du Dieu très-haut [b]. »

Scènes de jugement

21. Quelle belle prestation, frères très chers, que celle qui se donne et se célèbre avec Dieu pour spectateur ! Si, lors de jeux[2], une prestation des païens semble recevoir grandeur et gloire de la présence de proconsuls ou d'empereurs[3], si ceux qui offrent cette prestation rehaussent les apprêts et la dépense pour parvenir à plaire à de plus hauts personnages, combien plus illustre et plus considérable la gloire d'une prestation qui a Dieu et le Christ pour spectateurs, combien ici il faut de plus riches apprêts et une plus large dépense, dans ce spectacle auquel viennent assister les vertus des cieux ainsi que tous les anges, où celui qui offre ne vise pas

tionnaires et manuels de civilisation romaine. Pour mieux comprendre cette page de Cyprien on retiendra surtout les éléments que voici. Même si le caractère de fête religieuse, païenne évidemment, attaché à ces spectacles n'est plus du tout ce dont se préoccupent les foules qui s'y pressent, il demeure présent par des sacrifices, des processions, qui ouvrent et ferment les jeux. Tertullien ne se prive pas de le rappeler dans le *De spectaculis*. ~ La plupart du temps ces jeux ont un caractère officiel et sont organisés ès qualités par des magistrats, impériaux ou locaux. Mais, même si une dotation prise sur l'argent public est prévue, les dépenses sont toujours bien plus considérables et font appel à la fortune personnelle de l'organisateur, qui s'appuie sur ce mécénat pour accroître son prestige et pousser sa carrière.

3. « d'empereurs » : le pluriel n'est pas seulement un pluriel rhétorique. Depuis le principat de Marc-Aurèle il arrive périodiquement que le fils ou le jeune frère d'un empereur reçoive le titre d'Auguste et soit associé, au moins nominalement, au pouvoir souverain. Cela avait été le cas en 238 pour Gordien Ier et son fils Gordien II, c'est le cas dans les dernières années de Cyprien pour Valérien et son fils Gallien. ~ Dans une capitale provinciale, comme est Carthage, la présence du proconsul rehausse les jeux de la même manière que celle de l'empereur à Rome.

10 uel consulatus petitur, sed uita aeterna praestatur, nec cap-
    tatur inanis et temporarius fauor uulgi, sed perpetuum prae-
    mium regni caelestis accipitur.

22. Atque ut pigros et steriles et cupiditate nummaria
nihil circa fructum salutis operantes magis pudeat, ut plus
conscientiam sordidam dedecoris ac turpitudinis suae rubor
caedat, ponat unusquisque ante oculos suos diabolum cum
5   suis seruis, id est cum populo perditionis ac mortis, in

---

10 consulatus : consularis *a* ‖ petitur : pet*ntur *F*   promittitur *R* ‖ 11
temporarius <*V*> : temporius *Y*   temporalis *G*

22. *F P W Y G D R h m p e a* <*V*>

1 nummaria : numeraria *G*² ‖ 2 fructum : frugum *F* ‖ operantes : -tis *D*
‖ pudeat + plebem Christi praesentem (praesente *R*²) et iudicantem ipso *R*
‖ plus + ad *h* ‖ 3 rubor : robur *F P G* ‖ 4 caedat : cedat *P D R m e a*   tedat
G   accedat *h* ‖ unusquisque ~ ante oculos suos *R* ‖ 5 seruis : angelis *a* ‖
ac mortis > *e*

---

1. Entre un quadrige et un consulat, la disproportion n'est qu'apparente. Le quadrige n'est pas ici simplement un attelage susceptible de participer à des jeux ultérieurs et d'y apporter le succès à son propriétaire. Il
est une marque d'honneur. Le général triomphateur traversait Rome sur
un char tiré par quatre chevaux. Sous l'Empire le triomphe est désormais
réservé au prince, chef éminent de toutes les armées, mais il est possible de
conférer à d'autres les « insignes » du triomphe, et le quadrige semble bien
pouvoir en faire partie. Et il figure au premier rang des cadeaux que peuvent faire le prince ou le Sénat. L'*Histoire Auguste* se montre le reflet de
telles coutumes, lorsqu'elle rapporte que des quadriges et un char triom-
phal ont été attribués par le Sénat à Misitheus, beau-père de l'empereur
Gordien III, tandis que ce dernier obtenait le triomphe (*Gord.* 27, 9). De
même être représenté par un sculpteur sur un quadrige est autre chose
qu'une statue ordinaire, et Auguste mentionne à part ce type de statues
dans l'inscription d'Ancyre. Le quadrige offert à un *munerarius* après des
jeux réussis n'est donc pas un simple engin de course ou de déplacement.
~ A l'inverse, le consulat ne représente plus un pouvoir réel. Conféré par
le prince, multiplié par l'usage des consulats « suffects » succédant au cours
de l'année aux consulats réglementaires, il n'est plus qu'un honneur,
d'ailleurs dispendieux, et un marchepied pour l'accès à certaines hautes
fonctions. ~ Une autre analyse de la phrase est possible, qui ferait de *qua-*

un quadrige ou un consulat[1], mais où il obtient la vie éternelle, où l'on ne brigue pas la vaine et passagère faveur de la foule, mais où l'on reçoit en récompense perdurable le royaume du ciel !

22. Et pour inspirer plus de honte aux indolents, aux cœurs stériles, à ceux que leur passion de l'argent empêche de pratiquer aucune bienfaisance profitable à leur salut, pour que la confusion de leur indignité et de leur infamie fustige leur conscience souillée[2], que chacun se mette devant les yeux le diable[3], et l'imagine entouré de ses serviteurs, c'est-à-dire du peuple de la perdition et de la mort, bondissant au milieu de l'assemblée et défiant le peuple du Christ en pré-

driga un ablatif, ce qui amènerait à traduire : « celui qui offre ne cherche pas à obtenir grâce à un quadrige tout au plus un consulat ». Cela n'est satisfaisant qu'à première vue, car ce n'est pas l'organisateur des jeux qui gagne son prix grâce à un quadrige, c'est le propriétaire du quadrige vainqueur, et l'organisateur de son côté réussit sa prestation s'il parvient à engager *des* quadriges de valeur, dont la lutte fournira un beau spectacle.

2. *sordidus* est un écho de *sordes*, utilisé dès le premier chapitre (l. 21) pour désigner les péchés commis après le baptême, et repris aux ch. 2 (l. 17) et 14 (l. 9).

3. Le diable, *diabolus*, c'est, d'après le sens courant du mot grec διά-βολος, celui qui prononce une parole de dénigrement, justifiée ou calomniatrice. Les traducteurs grecs de la Bible ont utilisé ce mot pour rendre l'hébreu *Satan*, mot qui désigne par exemple l'Accusateur qui au début du livre de *Job* (1,9) met en doute la justice de Job devant Dieu siégeant en audience solennelle. Cyprien s'est évidemment inspiré de cette scène, même si chez lui les accusations du diable sont véridiques. De même le recours à un discours imaginé a pu être inspiré à l'ancien rhéteur par la prosopopée de l'éloquence ou de la poésie classiques, mais on trouve ici plus qu'une simple prosopopée, une véritable mise en scène. ~ Le mot *Satanas*, adapté en grec et en latin de l'hébreu, n'apparaît dans les traités et les lettres de Cyprien qu'à l'intérieur des citations bibliques, tandis que le mot *diabolus* est d'emploi courant dans ses propres textes. ~ Cyprien ne cherche pas à donner une image physique précise du diable. Comme dans l'Écriture (sauf Gn 3, 1), celui-ci ne se manifeste que par ses actions et ses paroles.

medium prosilire, plebem Christi praesente et iudicante ipso
comparationis examine prouocare dicentem :

« Ego pro istis quos mecum uides nec alapas accepi nec
flagella sustinui nec crucem pertuli nec sanguinem fudi nec
10 familiam meam pretio passionis et cruoris redemi, sed nec
regnum illis caeleste promitto nec ad paradisum restituta
immortalitate denuo reuoco : et munera mihi quam pretiosa,
quam grandia, quam nimio et longo labore quaesita sumptuosissimis apparatibus conparant rebus suis uel obligatis in
15 muneris comparatione uel uenditis : ac nisi editio honesta
successerit, conuiciis ac sibilis eiciuntur et furore populari

---

6 medium : mediam *m p* ‖ prosilire + in *h* ‖ plebem : plebe *e* <V> ‖
Christi : -to *D m p* ‖ ipso : ipsum *W Y* ‖ 7 examine : exanime *a* ‖ 8 alapas :
-pam *p* ‖ 10 familiam meam : -lia mea *R* ‖ cruoris : sanguinis *e* ‖ sed > *G*
‖ 11 caeleste : -tem *F* ‖ 12 immortalitate : in mortalitate *a* iam mortalitate
Y mortalitate *e* ‖ 13 labore <V> : labori *R²* ‖ sumptuosissimis : sump-
tuosis *h* ‖ 15 muneris : numeri *Y* ‖ comparatione <V> : -nem *F m p* appa-
ratione *P* obligatione *W Y* ‖ 16 successerit : accesserit *G* ‖ sibilis : si filiis
R¹ si filis *R²* sibiles *m* si uiles *p* ‖ populari : populi *R*

---

1. Selon TORNATORA 1993, nous avons ici le premier exemple dans les
textes chrétiens d'un *diabolus eloquens*, prononçant un discours en forme
et non plus seulement quelques mots. L'article de Tornatora (p. 30) insiste
sur le reflet dans le texte des pratiques judiciaires romaines et du genre littéraire de la *rogatio* qui leur correspond, mais laisse de côté l'influence de
la scène inaugurale du livre de *Job*.

2. *ad paradisum … denuo reuoco* semble impliquer une assimilation du
paradis futur de la vie céleste au paradis perdu de la *Genèse*. Cette
assimilation est explicite dans *Ad Fortunatum* 13, 14 : *ad paradisum
triumphantem redire et unde Adam eiectus est illuc … tropea uictricia repor-
tare*.

3. On rapprochera cette phrase, qui met en valeur sous une présentation négative la générosité salvatrice que le Christ dans sa passion a montrée à l'égard de l'homme, d'un passage du dernier chapitre de l'*Ad
Demetrianum* : *Hanc gratiam Christus inpertit, hoc munus misericordiae*

sence et sous l'arbitrage de celui-ci, en une confrontation en forme, avec ces paroles [1] :

« Moi, pour ceux que tu vois en ma compagnie, je n'ai pas reçu de soufflets, je n'ai pas enduré le fouet, je n'ai pas porté le poids d'une croix, je n'ai pas répandu mon sang, je n'ai pas racheté les miens au prix de la passion et du sang versé, je ne leur promets pas non plus un royaume au ciel et je ne les ramène pas au paradis [2] en leur rendant l'immortalité perdue [3]. En mon honneur pourtant, vois quelles prestations coûteuses [4], quelles fêtes grandioses, préparées par quel labeur sans mesure et prolongé, ils organisent au prix d'apprêts les plus dispendieux, en engageant leurs biens dans la préparation de cette prestation ou même en les vendant. Et si après cela les jeux ne se déroulent pas à leur honneur, ils se font jeter dehors sous les injures et les sifflets, et parfois

---

suae tribuit subigendo mortem trophaeo **crucis**, *redimendo credentem pretio sui* **sanguinis**, *reconciliando hominem Deo patri, uiuificando* **mortalem regeneratione caelesti**. *(...) Hic nobis uiam uitae aperit, hic ad* **paradisum reduces** *facit, hic ad* **caelorum regna** *perducit. (...) Cum ipso exultabimus semper ipsius* **cruore reparati**. ~ La parenté des thèmes et du vocabulaire est évidente, mais on notera aussi que, quel que soit le rapport chronologique des deux textes, les mots repris sont associés de manière systématiquement différente :

Ad Demetrianum 26	De opere et eleemosynis 22
trophaeo crucis	crucem pertuli
pretio sanguinis	pretio cruoris / sanguinem fudi
cruore reparati	pretio cruoris redemi
caelorum regna/regeneratione caelesti	regnum caeleste
ad paradisum reduces facit	ad paradisum reuoco
uiuificando mortalem regeneratione	restituta immortalitate.

4. La doctrine selon laquelle les cérémonies religieuses païennes, les sacrifices offerts à des dieux qui n'en sont pas, sont en réalité des sacrifices offerts aux démons, vient de saint Paul (1 Co 10, 20), lui-même tributaire sur ce point du *Deutéronome* (32, 17). Cf. TERTULLIEN, *Spect.* 10, précisément à propos des cérémonies de culte païen que constituent les jeux.

nonnumquam paene lapidantur. Tuos tales munerarios, Christe, demonstra, illos diuites, illos copiosis opibus afluentes, an in ecclesia praesidente et spectante te eiusmodi
20 munus edant obpigneratis uel distractis rebus suis, immo ad caelestes thensauros mutata in melius possessione translatis. In istis muneribus meis caducis atque terrenis nemo pascitur, nemo uestitur, nemo cibi alicuius aut potus solacio sustinetur. Cuncta inter furorem edentis et spectantis errorem
25 prodiga et stulta uoluptatum frustrantium uanitate depereunt. Illic in pauperibus tuis tu uestiris et pasceris, tu aeternam uitam operantibus polliceris : et uix tui meis perdentibus adaequantur qui a te diuinis mercedibus et praemiis caelestibus honorantur. »

23. Quid ad haec respondemus, fratres carissimi ? Sacrilegas sterilitates et quadam tenebrarum nocte coopertas diuitum mentes qua ratione defendimus, qua excusatione

---

17 munerarios : numerarios *a* ‖ 18 demonstra + praeceptis tuis monitos et pro terrenis caelestia recepturos <*V*> ‖ illos[2] > *G*[1] *m p* ‖ copiosis opibus : copiosius *m p* ‖ opibus : operibus *R* ‖ 19 afluentes : affluentes *W D R h p e a* (adfl-) *m* aluentes *Y* ‖ praesidente + te *G a* ‖ et : ac *G* sed *a* ‖ spectante : expectante *D* ‖ te : > *Y D a* ut *G* et *R* ‖ 20 edant : aedeant *D* edent *m p* ‖ uel : et uel *m p* ‖ 21 possessione : -ionibus *m*[2] possensione *F* ‖ translatis : -ti *a* ‖ 23 aut <*V*> : et *m p* ‖ sustinetur : sustinetur : sustenetur *G*[2] sustentatur *R* ‖ 24 furorem : furore *F R* ‖ edentis : medentis *m* ‖ 25 prodiga : -gia *a* ‖ uoluptatum : uoluptatium *h* uoluptate *a* uoluntate *R* ‖ frustrantium : frustantium *R* prostrantium *F* ‖ 27 tui : tuis : *m*[2] ‖ perdentibus <*V*> : pereunti *D*[1] pereuntibus *P D*[2] *m p* ‖ 28 adaequantur : aequantur *a* ‖ te + et *F*

23. *F P W Y G D R h m p e a* <*V*>
2 sacrilegas <*V*> : -ga *D G m p* ‖ sterilitates <*V*> : -ate *D G m p* -atis *h* et steriles *R* ‖ quadam : quasdam *P W Y R e a* ‖ 3 excusatione : excusamus *m p*

---

1. « Vatinius, sur qui le peuple avait jeté des pierres alors qu'il donnait des jeux de gladiateurs, avait obtenu des édiles un édit interdisant à quiconque de jeter sur l'arène autre chose que des fruits », *lapidatus a populo*

presque lapider[1] par un peuple en fureur. Eh bien, Christ, présente-nous parmi les tiens des gens capables de prestations semblables, présente-nous ces riches, ces hommes qui nagent dans l'abondance, et dis-nous si dans ton église, sous ta présidence et sous ton regard, ils offrent une prestation comme celle-là, en hypothéquant ou en aliénant leurs biens, disons plutôt en les faisant passer dans les trésors du ciel[2], par une transformation profitable de leur possession. Dans ces prestations qui se font pour moi, ces festivités périssables et terrestres, personne n'est nourri, personne n'est vêtu, personne n'est soutenu par un réconfort d'aliments et de boisson. Tout s'y trouve pris entre la folie de l'organisateur et l'égarement des spectateurs, et se perd dans la vanité ruineuse et insensée de plaisirs illusoires. Là au contraire, dans tes pauvres c'est toi qui es vêtu et nourri, et tu promets la vie éternelle à qui met en œuvre la bienfaisance. Et tes fidèles ont peine à s'égaler aux miens qui donnent en pure perte, alors que de toi ils reçoivent l'honneur d'une divine rétribution et de célestes récompenses ! »

23. Quelle est notre réponse à cela, frères très chers ? Ces stérilités impies, ces mentalités de riches enténébrées d'une sorte de nuit[3], quelle argumentation avons-nous pour les

Vatinius cum gladiatorium munus ederet obtinuerat ut aediles edicerent ne quis in harenam nisi pomum misisse uellet (MACROBE, *Sat.* 2, 6, 1). Vatinius est un contemporain de Cicéron, et le fait se serait passé en 56 avant notre ère. Le texte par lequel nous le connaissons est postérieur à Cyprien, mais, vraie ou fausse en ce qui concerne le personnage, la tradition ainsi recueillie ne peut s'être constituée que s'il y avait effectivement ce risque en cas de jeux ratés.

2. Voir p. 94-95, n. 3. Rapprocher de ...*qui dominica praecepta seruantes ad caelestes thesauros terrena patrimonia transtulerunt* (*De mortalitate* 26, 452 ; commentaire dans DELÉANI 1979, p. 62).

3. *quadam tenebrarum nocte coopertas ... mentes* répond comme un écho simplifié à *oculi superfusi nigroris tenebris et nocte contecti* du début du ch. 15.

purgamus ? Qui diaboli seruis minores sumus, ut Christo
5 pro pretio passionis et sanguinis uicem nec in modicis
rependamus. Praecepta ille nobis dedit, quid facere seruos
eius oporteret instruxit, operantibus praemium pollicitus,
supplicium sterilibus comminatus sententiam suam protulit,
quid iudicaturus sit ante praedixit. Quae potest excusatio
10 esse cessanti, quae defensio sterili ? Nisi quod non faciente
seruo quod praecipitur Dominus faciet quod minatur.

Qui et dicit : *Cum uenerit Filius hominis in claritate sua*
et omnes angeli cum eo, tunc sedebit in throno claritatis suae
et colligentur ante eum omnes gentes, et segregabit eos ab
15 *inuicem quemadmodum pastor segregat oues ab haedis, et*
statuet oues ad dexteram suam, haedos autem ad sinistram.
Tunc dicet rex eis qui ad dexteram suam sunt : Venite bene-
dicti Patris mei, percipite regnum quod uobis paratum est ab
origine mundi. Esuriui enim et dedistis mihi manducare,

---

4 purgamus : punimus *m²* ‖ qui : qua *F* quia *D* ‖ minores : -re *R* ‖ 5
pro > *m p a* ‖ passionis et > *R* ‖ modicis : -cum *F* ‖ 7 oporteret : -tere *W¹*
Y ‖ instruxit : instruit *m p* ‖ pollicitus <*V*> : pollicetur *G* ‖ 8 supplicium
sterilibus : ~ *R m p* ‖ supplicium : suplicia *p* ‖ comminatus <*V*> : -tur *P W*
Y G ‖ 9 quid : quod *D R e* ‖ iudicaturus : iudicarus *Y* ‖ excusatio > *G* ‖
10 cessanti quae > *G* ‖ nisi > *R* ‖ faciente : facienti *D²* facientes *R a* ‖ 11
faciet : faciat *R* ‖ quod minatur : et comminatur *m p* ‖ 12 dicit : dixit *G* ‖
uenerit + inquit *h* ‖ 14 gentes > *Y* ‖ segregabit : -auit *R* ‖ eos : eas *R* <*V*>
‖ 15 quemadmodum : sicut *a* ‖ 16 statuet : ponet *R* ‖ ad dexteram suam
<*V*> : ad dextera sua *W Y* ‖ ad sinistram : ad sinistra *Y* a sinistra *W* a (ad
G¹) sinistris *G* ‖ 17 dicet : dicit *F a* ‖ ad dexteram suam : ad dextera sua
Y a dextera sua *W* ‖ suam : eius *R* ‖ 18 percipite : accipite *W* ‖ regnum ~
quod uobis paratum est *F P G Y p* (*contra* : <*V*>) ‖ est > *W* ‖ 18-19 ab origine mundi : a patre meo *a* ‖ 19 dedistis : dedisti *F*

---

1. Écho de *non cruce et passione eius redempta cibum et potum pro san-*
guine rependebat (ch. 17, l. 24-25), discret rappel de la charité exercée par
la veuve de Sarepta.

2. *Iudicaturus sit* : voir la note complémentaire 12 (les temps des verbes
au subjonctif dans les propositions subordonnées), p. 183.

défendre, quelle excuse pour les justifier, nous qui nous montrons inférieurs aux serviteurs du diable, et qui ne payons pas le Christ de retour, même modestement, pour le prix de sa passion et de son sang[1] ? Il nous a donné ses instructions, il nous a enseigné ce que doivent faire ses serviteurs, il a promis la récompense à qui exerce la bienfaisance et menacé du châtiment qui demeure stérile, et ainsi a déclaré sa sentence et signifié d'avance ce que sera son jugement[2]. Que peuvent dire le négligent pour s'excuser, le stérile pour se défendre, sinon admettre que si le serviteur n'exécute pas les instructions qu'il reçoit, le Seigneur exécutera sa menace ?

Car il dit encore : « Quand le Fils de l'homme viendra dans l'éclat de sa gloire, et tous les anges avec lui, alors il s'assiéra sur le trône de sa gloire[3], et toutes les nations seront rassemblées devant lui, et il séparera les gens les uns des autres[4] comme le berger sépare les brebis des boucs, et il placera les brebis à sa droite, les boucs à sa gauche. Alors le Roi dira à ceux qui sont à sa droite : "Venez, bénis de mon Père, prenez possession de la royauté qui a été préparée pour vous depuis l'origine du monde. Car j'ai eu faim

---

3. Δόξα est ici traduit les deux fois par *claritas* (*maiestas* dans la Vulgate). Voir la note complémentaire 6, p. 172-173.

4. *Inuicem*, adverbe signifiant à l'époque classique « à tour de rôle », adverbe encore lorsque très tôt ensuite il prend également le sens de « réciproquement », put à ce dernier titre servir à traduire le pronom grec réciproque ἀλλήλους. Il finit ainsi par être considéré comme un véritable pronom indéclinable, précédé au besoin d'une préposition. Cet emploi prépositionnel, absent encore de Tertullien, apparaît pour traduire le pronom réciproque grec dans les vieilles traductions latines de la Bible, par exemple dans les florilèges bibliques de Cyprien (*Ad Quirinum* 3, 3, 29 : *ab inuicem* ; 3, 44, 7 : *cum inuicem*) ou ses citations (*De ecclesiae catholicae unitate* 7, 170 : *ad inuicem* ; et ici-même). Cyprien lui-même emploie plusieurs fois *ab inuicem* dans ses *Lettres* (4, 4, 2 ; 63, 13, 2), mais plutôt comme une locution adverbiale renforçant le sens de *separare se* ou de *separari*.

20 *sitiui et potastis me, hospes fui et abduxistis me, nudus et*
texistis me, infirmatus sum et uisitastis me, in carcere fui et
uenistis ad me. Tunc respondebunt ei iusti dicentes : Domine,
quando te uidimus esurientem et pauimus, sitientem et
potauimus ? Quando te uidimus hospitem et abduximus ?
25 *Nudum et uestiuimus ? Quando autem te uidimus infirmari*
et in carcere et uenimus ad te ? Tunc respondens rex dicet
eis : Amen dico uobis, quamdiu fecistis uni horum ex fratri-
bus meis minimis, mihi fecistis. Tunc dicet illis qui ad sinis-
tram sunt : Discedite a me, maledicti, in ignem aeternum
30 *quem parauit Pater meus diabolo et angelis eius. Esuriui*
enim et non dedistis mihi manducare, sitiui et non potastis
me, hospes fui et non abduxistis me, nudus et non uestistis
me, infirmus et in carcere et non uisitastis me. Tunc respon-
debunt et ipsi dicentes : Domine, quando te uidimus esu-
35 *rientem aut sitientem aut hospitem aut nudum aut infirmum*
aut in carcere et non ministrauimus tibi ? Et respondebit
illis : Amen dico uobis, quamdiu non fecistis uni ex minimis

---

20 potastis me <*V*> : dedistis mihi bibere *a* ‖ hospes : hospis *Y* ‖
abduxistis <*V*> : addu- *P D R h e a* ‖ me > *P W G a* ‖ nudus + fui *R* ‖
nudus – uisitastis me ~ in carcere – ad me *(l. 22) m* ‖ 21 texistis <*V*> : uestistis *a* ‖ me > *P W Y G D m p a* ‖ infirmatus <*V*> : infirmus *R h* ‖ sum
<*V*> > *D R h m p* ‖ carcere : carcerem *F R*? ‖ fui > *G* ‖ 22 ei : et *a* ‖ ei
iusti : ~ *R m* ‖ 23 esurientem – uenimus ad te *(l. 26)* : esurientem aut sitientem aut nudum aut infirmum aut in carcerem aut ministrauimus tibi *R* ‖
24 potauimus : dedimus potum *m p* ‖ abduximus <*V*> : addu- *P D h e a* ‖
25 quando autem te uidimus > *D* ‖ infirmari <*V*> : infirmum *h* ‖ 26 et [1] :
aut *F*   + uisitauimus te aut <*V*> ‖ carcere : carcerem *F* ‖ tunc : et *R* ‖ dicet :
dicit *F W[1] G a*   dixit *R* ‖ 26-27 dicet eis : dicens *D* ‖ 27 fratribus meis >
R ‖ 28 minimis > *h* ‖ tunc : item *R* ‖ dicet : dicit *F W[1] D R*   dicent *m* +
et *<V>* ‖ illis : eis *R* ‖ ad sinistram <*V*> : a sinistram *P*   a sinistra *W Y R*
ad sinistra *a*   + eius *R* ‖ 29 sunt <*V*> > *F[1] P W Y* ‖ 30 parauit : praepa-
rauit *R* ‖ 31-32 potastis me : dedistis mihi potum *Y* ‖ 32 hospes : hospis *Y*
‖ abduxistis : addu- *P D h e a*   suscepistis *F* ‖ uestistis : cooperuistis *F*
texistis *R* ‖ 33 infirmus + fui *R* ‖ et [1] + non uisitastis me *F R* ‖ carcere :

et vous m'avez donné à manger [1], j'ai eu soif et vous m'avez fait boire, j'ai été étranger et vous m'avez reçu chez vous, nu et vous m'avez habillé, je suis tombé malade et vous m'avez rendu visite, j'ai été en prison et vous êtes venus vers moi". Alors les justes lui répondront : "Seigneur, quand t'avons-nous vu avoir faim, et nous t'avons nourri, avoir soif, et nous t'avons fait boire ? Quand t'avons-nous vu étranger, et nous t'avons reçu chez nous, nu, et nous t'avons vêtu ? quand t'avons-nous vu tomber malade, et en prison, et nous sommes venus vers toi ?". Alors le Roi leur répondra : "En vérité je vous le dis, en chaque occasion où vous l'avez fait à l'un de ceux-ci, à l'un de mes frères les plus petits, c'est à moi que vous l'avez fait." Et il dira alors à ceux qui sont à sa gauche : "Écartez-vous de moi, maudits, pour aller au feu éternel que mon Père a préparé pour le diable et ses anges. Car j'ai eu faim et vous ne m'avez pas donné à manger, j'ai eu soif et vous ne m'avez pas fait boire, j'ai été étranger et vous ne m'avez pas reçu chez vous, nu et vous ne m'avez pas vêtu, malade et en prison et vous n'êtes pas venus me voir". Alors ils répondront à leur tour : "Seigneur, quand t'avons-nous vu affamé ou assoiffé ou étranger ou nu ou malade ou en prison, et nous ne t'avons pas porté secours ?". Et il leur répondra : "En vérité je vous le dis, chaque fois que vous ne l'avez pas fait à l'un de ces plus petits, c'est à moi aussi que vous ne l'avez pas fait". Et ceux-

---

+ fui *R*   carcerem *F D* ‖ uisitastis : uenistis ad *F R* ‖ 34 ipsi : isti *R* ‖ 36 carcere : carcerem *F D R* ‖ respondebit : tunc dicet *R* ‖ 37 fecistis : fecisti *Y* ‖ uni + horum *R*

---

1. *dedistis ... manducare* : cet emploi de l'infinitif pour exprimer la destination avec *dare* est absent de la prose classique, mais cependant ancien : *Bibere da*, « donne à boire », écrit PLAUTE au v. 821 du *Persa*.

his, neque mihi fecistis. Et abibunt isti in ambustionem
aeternam, iusti autem in uitam aeternam [a].

40   Quid potuit nobis maius Christus edicere ? Quomodo
magis potuit iustitiae ac misericordiae nostrae opera prouocare ? Quam quod praestari dixit sibi quicquid egenti praestatur et pauperi, et se dixit offendi nisi egenti praestetur et
pauperi, ut qui respectu fratris in ecclesia non mouetur uel
45 Christi contemplatione moueatur et qui non cogitat in
labore atque in egestate conseruum uel Dominum cogitet in
ipso illo quem despicit constitutum.

24. Et idcirco, fratres carissimi, quibus metus in Deum
pronus est et spreto calcatoque iam mundo ad superna et
diuina animus erectus est, fide plena, mente deuota, opera-

---

38 his <V> : hiis Y ‖ et : tunc <V> ‖ ambustionem : conbu- *D h* ignem
F ‖ 40 potuit nobis maius : maius nobis potuit F^2 ‖ nobis + fratres dilectissimi *R* ‖ edicere : dicere *P a* ‖ 41 ac : et *W* ‖ nostrae <V> : nostram *p* ‖
42 praestari : -are W^1 *Y a* ‖ praestatur : praestetur <V> ‖ 43 et se – pauperi *(l. 44)* > *D* m^1 ‖ praestetur : praestaretur *m* praestatur *Sim* ‖ 44 respectu : -tus F^1 *R a* -tum Y^1 ‖ fratris : pauperis *R* <V> ‖ in ecclesia > *R* ‖
46 uel : aut *R* ‖ dominum : deum *m p* ‖ 47 ipso illo : ~ F^2 *G h m p*

24. *F P W Y G D R h m p e a* <V>
1 carissimi : dilectissimi *m* ‖ quibus : qui *R* ‖ in deum : dei *P* in deo *e*
in dominum *F h* in domino *D* ‖ 3 diuina : adiuina D^1 ad diuina D^2 ‖
operatione : oratione *R m p*

---

23. a. Mt 25, 31-46.

---

1. Il n'est pas dans les habitudes de Cyprien d'introduire des citations
d'Écriture aussi longues. Cette entorse à la coutume met en relief ce texte
qui constitue le sommet doctrinal des derniers chapitres (voir Introduction
VII, p. 51).
2. Le verbe *erigere* a pour premier sens : « mettre droit, mettre
debout » ; d'où deux sens figurés fréquents : 1. « éveiller, rendre attentif » ;
2. « redresser, rendre courage ». La perception de ces harmoniques, peu
contestable dans le texte, s'estompe avec la traduction. ~ Le contraste entre
l'écrasement par piétinement *(calcare)* d'un objet séducteur condamnable
et la direction verticale *(erigere)* d'un regard qui se porte vers les choses

là s'en iront pour brûler éternellement, mais les justes iront
à la vie éternelle[a1]. »

Qu'est-ce que le Christ aurait pu édicter de plus ferme à
notre intention ? Comment aurait-il pu nous inviter mieux
aux œuvres de la justice et de la miséricorde, que lorsqu'il
a déclaré que c'est à lui qu'on donne ce qui est donné à l'indigent et au pauvre, et lui qui reçoit l'offense si l'on ne
donne pas à l'indigent et au pauvre, afin que l'homme que
n'émeut pas la considération de son frère dans l'assemblée
de l'Église, s'émeuve du moins par égard pour le Christ, et
que l'homme qui ne pense pas à son compagnon de service
en butte aux difficultés et au besoin, pense du moins au
Seigneur présent en celui-là même qu'il dédaigne ?

**Exhortation
finale**
24. Pour cette raison, frères très chers,
nous qui sommes disposés à craindre Dieu,
nous qui, ayant désormais rejeté et piétiné
le monde, avons l'âme tendue[2] vers les choses d'en haut et
de Dieu, présentons au Seigneur notre hommage en nous

d'en haut, se trouvait déjà dans un texte de SÉNÈQUE (*Ad Lucilium* 94, 56) :
*Nulli nos uitio natura conciliat (...) Nihil quo auaritiam nostram inritaret
posuit in aperto : pedibus aurum argentumque subiecit calcandumque ac
premendum dedit quicquid est propter quod calcamur ac premimur. Illa
uultus nostros erexit ad caelum et quicquid magnificum mirumque fecerat,
uideri a suspicientibus uoluit*, « La nature ne nous prédispose au vice en
nulle manière (...) Elle n'a rien exposé à nos yeux qui pût irriter notre avarice. Au contraire elle a mis l'or et l'argent sous nos pieds ; elle nous a
donné à fouler, à écraser tout ce pour quoi l'on nous foule et nous écrase ;
elle a élevé nos fronts vers le ciel ; elle a voulu que nous n'ayons qu'à dres-
ser la tête pour regarder ses magnifiques et merveilleux ouvrages » (trad.
H. Noblot, *CUF*). ~ L'orientation du regard vers les choses du ciel est,
chez le philosophe stoïcien, une donnée de la nature, à laquelle les hommes
peuvent malheureusement devenir infidèles et que le sage doit retrouver ;
pour Cyprien cette orientation de l'âme est un effet de la conversion et de
la foi, qui affranchissent le chrétien des séductions du monde auxquelles sa
condition native le faisait succomber et qu'il lui faut rejeter (*spernere*). La
parenté des thèmes traités, si évidente dans le vocabulaire, ne doit pas masquer la divergence des perspectives.

tione continua promerendo Domino obsequium praebea-
5   mus. Demus Christo uestimenta terrena indumenta caelestia recepturi. Demus cibum et potum saecularem cum
Abraham et Isaac et Iacob ad conuiuium caeleste uenturi [a].
Ne parum metamus plurimum seminemus. Securitati ac
saluti aeternae dum tempus est consulamus Paulo apostolo
10 admonente et dicente : *Ergo dum tempus habemus, opere-*
mur quod bonum est ad omnes, maxime autem ad domesti-
cos fidei. Bonum autem facientes non deficiamus, tempore
enim suo metemus [b].

25. Cogitemus, fratres dilectissimi, quid sub apostolis
fecerit credentium populus, quando inter ipsa primordia
maioribus uirtutibus mens uigebat, quando credentium fides
nouo adhuc fidei calore feruebat. Domicilia tunc et praedia
5   uenundabant et dispensandam pauperibus quantitatem

---

4 continua + in *h* ‖ domino : -num *Y*   deum *m p*   deo *e* ‖ 5·demus :
de//mus *W*   praebeamus *Y* ‖ Christo uestimenta : ~ *m p* ‖ 6 recepturi : per-
cepturi *Y* ‖ 7 Abraham : habraha *W* ‖ et[1] > *W G R* ‖ 10 admonente :
monente *G* ‖ habemus : est *R* ‖ operemur : -mus *e* ‖ 13 metemus + non
fatigati *F*[2] *D*

25. *F P W Y G D R h m p e a* <*V*>
1 dilectissimi <*V*> : karissimi *R* ‖ 2 fecerit ... populus : fecerint ... populi
R ‖ 4 nouo : noua *D*[1] *h* ‖ tunc > *R* ‖ praedia : praesidia *e* ‖ 5 et : ad *R a* ‖
dispensandam : -da *W*

---

24. a. Cf. Mt 8, 11   b. Ga 6, 10.9.

1. Dans l'*Apocalypse*, le vêtement blanc, symbole de l'appartenance au
Christ (3, 4), vient plusieurs fois dans les visions célestes habiller les élus
(4, 4 ; 6, 11 ; 7, 9 ; 7, 13).
2. L'image du banquet en compagnie d'Abraham, Isaac et Jacob, issue
de Mt 8, 11, est également utilisée par Cyprien dans la *Lettre* 2 (en 2, 2)
pour évoquer semblablement les fins dernières glorieuses et le paradis.
Dans les deux textes, l'image est en situation, puisque chaque fois les lignes
précédentes mentionnent des secours alimentaires. S'il n'en est pas de même
dans la citation, plus longue, du *De dominica oratione* 19, c'est que Mt 8,
11 ne s'y trouve que pour introduire le v. 12, seul exploité.

créant des titres auprès de lui par une foi sans faille, un esprit zélé et une bienfaisance incessante. Donnons au Christ les habits de cette terre, et nous recevrons en retour le vêtement céleste[1]. Donnons-lui la nourriture et la boisson de ce siècle, et nous irons prendre part au banquet céleste avec Abraham, Isaac et Jacob[a2]. De peur d'une maigre récolte, semons en abondance. Tandis qu'il en est temps, pourvoyons à notre sûreté et à notre salut pour l'éternité[3], car l'apôtre Paul nous avertit en ces termes : « Donc, tandis que nous disposons du temps, œuvrons pour le bien de tous, et surtout de ceux avec qui nous demeurons dans la foi[4]. Ne négligeons pas de faire ce qui est bien, le temps venu nous récolterons[b5]. »

25. Considérons, frères très aimés, ce que fit au temps des apôtres le peuple des croyants, quand aux origines mêmes de son existence de plus grandes vertus entretenaient sa vigueur spirituelle, et quand la fidélité des croyants s'animait de la chaleur d'une foi encore neuve. Alors ils mettaient en vente leurs résidences et leurs domaines, et ils apportaient de bon cœur et généreusement le prix de la cession aux

---

3. Cyprien écrit de manière analogue, dans la conclusion de l'*Ad Demetrianum* (ch. 25) : *Securitati igitur et uitae dum licet prouidete*, « Veillez donc à votre sécurité et à votre vie tant que cela vous est permis ». Le temps dont l'homme dispose au cours de sa vie est ici présenté de manière positive : il lui permet de mettre en œuvre ce qui lui est proposé par le Christ et par l'Écriture en vue de son éternité. On a ainsi la contrepartie des premiers chapitres, où le temps d'après le baptême apparaissait comme apportant par les péchés une dégradation inévitable de la grâce reçue. Sur ces ambivalences du temps chez Cyprien, voir DELÉANI 1984.

4. En écho à ce texte, l'Église était dite « demeure de la foi » par Cyprien au ch. 12, l. 4 (voir p. 109, n. 2).

5. Dans cette citation de Ga 6, Cyprien a placé le v. 9 après le v. 10, probablement afin de conclure sur une vision des réalités dernières, comme dans plusieurs des phrases précédentes de ce chapitre.

libenter ac largiter apostolis offerebant [a], terreno patrimonio uendito atque distracto fundos illuc transferentes ubi fructus caperent possessionis aeternae, illic comparantes domos ubi inciperent semper habitare. Talis tunc fuit in operatio-
10 nibus cumulus qualis in dilectione consensus, sicut legimus in Actis apostolorum : *Turba autem eorum qui crediderant anima ac mente una agebant nec fuit inter illos discrimen ullum nec quicquam suum iudicabant ex bonis quae eis erant, sed fuerunt illis omnia communia* [b].
15 Hoc est natiuitate spiritali uere Dei filium fieri, hoc est lege caelesti aequitatem Dei Patris imitari. Quodcumque enim Dei est in nostra usurpatione commune est, nec quisquam a beneficiis eius et muneribus arcetur quominus omne humanum genus bonitate ac largitate diuina aequaliter per-
20 fruatur. Sic aequaliter dies luminat, sol radiat, imber rigat, uentus adspirat, et dormientibus somnus unus est, et stellarum splendor ac lunae communis est. Quo aequitatis exem-

---

6 offerebant : obf- *Sim* ‖ 7 atque distracto > *e* ‖ fundos : fundo *R* ‖ transferentes : -rebant *R* ‖ fructus : fructos *F Y* ‖ 8 caperent : capererent *D¹* carperent *D²* ‖ domos : domus *F a* ‖ 9 operationibus <*V*> : opere *a* ‖ 10 sicut : sic *W G* ‖ 12 illos : eos *e* ‖ 13 ullum : nullum *F a* ‖ quicquam : quisquam *D m p e* ‖ iudicabant : unidicabant <*V*> uindicabat *D m* uendicabat *p* ‖ quae + ex *D* ‖ 14 sed fuerunt > *a* ‖ 16 aequitatem : aequalitatem *m p a* ‖ patris imitari : patri similari *R* ‖ 17 enim dei ~ est *a* ‖ nostra usurpatione : ~ *e* ‖ nec : ne *D* ‖ 18 eius > *G* ‖ eius ~ et muneribus *R* ‖ et <*V*> : ac *G m p* ‖ quominus : quod cum minus *R* ‖ omne > *D* ‖ 19 diuina aequaliter : diuinae qualiter *R* ‖ perfruatur : fruatur *m p* pus fruatur *a* ‖ 20 luminat <*V*> : inluminat *G* ‖ rigat : inrigat *Y* inrorat <*V*> ‖ 21 adspirat : spirat *h* ‖ et ¹ > *G* ‖ somnus + est *a* ‖ est > *G* ‖ 22 lunae : lumina *D* ‖ quo aequitatis <*V*> : quo aequalitatis *F m p* coaequalitatis *G* qualitatis *a* ‖ esxemplo – terris (*l. 23*) > *R*

---

25. a. Cf. Ac 4, 34-35 b. Ac 4, 32.

---

1. Ce passage des *Actes* est aussi évoqué par Cyprien dans le *De lapsis* 6, 96. Voir la note complémentaire 14, p. 186 s.

2. *natiuitate spiritali* : l'expression n'est pas textuellement dans le ch. 3 de l'évangile johannique, mais elle résume exactement ce que Jésus y pro-

apôtres pour qu'il fût distribué aux pauvres [a][1] ; ainsi, en vendant et en dispersant leur bien terrestre, ils transportaient leurs propriétés en un lieu où ils auraient le gain d'une possession sans fin, et se préparaient une maison où ils entreraient pour toujours. Alors les dons accumulés par la bienfaisance furent à l'image de l'accord de tous dans l'amour, comme nous le lisons dans les *Actes des apôtres* : « La multitude de ceux qui avaient cru vivait d'un même cœur, d'un même esprit, sans que rien ne mît de différence entre eux, et ils ne considéraient comme leur bien propre rien de ce qu'ils possédaient, mais tout leur fut commun [b]. »

C'est cela devenir par une naissance selon l'Esprit [2] un vrai fils de Dieu, c'est cela imiter en se conformant à la loi céleste l'équité de Dieu notre père. Car tout ce qui appartient à Dieu, nous l'utilisons comme un bien commun, personne n'est tenu à l'écart de ses bienfaits et de ses dons, il ne peut se faire que tout le genre humain ne jouisse pas également de la bonté et de la générosité divines. C'est ainsi, de manière égale, que le jour éclaire, le soleil rayonne [3], la pluie arrose [4], le vent vient souffler, que les dormeurs connaissent tous le même sommeil et que l'éclat des étoiles et de la lune est à notre disposition commune. Lorsque, à

---

pose à Nicodème : « Nul, s'il ne naît d'eau et d'Esprit, ne peut entrer dans le royaume de Dieu » (Jn 3, 5). *Natiuitate spiritali Dei filium fieri*, c'est ce qu'apporte le baptême, et le partage des biens est ici un des effets d'une foi encore neuve et d'un baptême tout nouveau dans une Église qui vient de naître (*inter ipsa primordia*), et pour tous les baptisés un exemple à imiter. ~ *Spiritalis natiuitas* se rencontre une fois sous la plume d'un correspondant de Cyprien (*Ep.* 75, 8, 1). Cyprien lui-même n'a employé qu'ici l'expression, mais on peut rapprocher *gratiae spiritalis natiuitate reparati filii Dei esse* (*Ad Demetrianum* 10, 155) ; *cum natiuitas secunda spiritalis sit* (*Ep.* 74, 5, 4) ; *spiritaliter nasci (ibid.)*.

3. Sur cette phrase, voir la note complémentaire 15, p. 188 s.

4. L'association d'*imber* avec le verbe *rigare* ne paraît pas fréquente. On la trouve aux v. 953.978 de l'*Oedipus* de SÉNÈQUE, où il s'agit d'une pluie de larmes d'abord, de sang ensuite, qui arrose le visage d'Œdipe.

plo qui possessor in terris reditus ac fructus suos cum fraternitate partitur, dum largitionibus gratuitis communis ac
25 iustus est, Dei Patris imitator est.

26. Quae illa erit, fratres carissimi, operantium gloria,
quam grandis et summa laetitia, cum populum suum
Dominus coeperit recensere et meritis atque operibus nostris praemia promissa contribuens pro terrenis caelestia, pro
5 temporalibus sempiterna, pro modicis magna praestare,
offerre nos Patri cui nos sua sanctificatione restituit, aeter-
nitatem nobis inmortalitatemque largiri ad quam nos sanguinis sui uiuificatione reparauit, reduces ad paradisum
denuo facere, regna caelorum fide et ueritate suae pollicita-
10 tionis aperire. Haec haereant firmiter sensibus nostris, haec
intellegantur plena fide, haec corde toto diligantur, haec
indesinentium operum magnanimitate redimantur.

23 qui : quis *D* ‖ terris + est *G²* ‖ reditus : redditus *D p* ‖ cum > *a* ‖
fraternitate : paterna *m¹ p* ‖ 24 partitur : patitur *e* ‖ 24-25 ac iustus est : est
ac iustus *R*   actus est suus *a*

26. *F P W Y G D R h m p e a <V>*

1 carissimi : dilectissimi *m* ‖ 2-3 populum suum ∼ dominus *R* ‖ 3 dominus coeperit : ∼ *D a* ‖ operibus : operationibus *R h a* ‖ nostris : iustis *R h*
‖ 4 promissa : repromissa *Y* ‖ 5 pro modicis magna > *e* ‖ 6 offerre : oberre
W Sim ‖ nos ¹ + deo *R a* ‖ sua > *a* ‖ sua sanctificatione : ∼ *e* ‖ 7 (inmortalitatem)que : quae *P¹ R*   > *W* ‖ 8 sui > *P W Y* ‖ reduces : -cens *Y m¹ p*
‖ 9 denuo : de quo *Y* ‖ fide : fidei *a* ‖ 11 plena – diligantur > *D* ‖ fide + et
h ‖ haec – diligantur > *R* ‖ 12 redimantur : dirigantur *R*

1. Cf. *De mortalitate* 2, 32 : *iam terrenis caelestia et magna paruis et
caducis aeterna succedunt.* D'un texte à l'autre, quelle qu'en soit la succession chronologique, le vocabulaire est pour moitié renouvelé et l'ordre des
deux dernières paires est inversé.

2. *Restituere rem* ou *aliquem alicui*, c'est rendre une chose ou quelqu'un
à quelqu'un, mais en même temps, et c'était là le sens premier, *restituere
aliquem* ou *rem* signifie « remettre debout, remettre en état une personne
ou une chose ». Les autres occurrences de *restituere* dans les traités mon-

l'exemple de cette équité, quelqu'un qui possède des biens sur la terre partage ses revenus et ses gains avec l'ensemble des frères en se montrant par des distributions généreuses et désintéressées un homme de communauté et de justice, il est un imitateur de Dieu notre père.

26. Quelle sera, frères très chers, la gloire de ceux qui pratiquent la bienfaisance, que seront la grandeur et la suréminence de leur joie, lorsque le Seigneur se mettra à recenser son peuple, lorsque, accordant à nos mérites et à notre bienfaisance les récompenses promises, il donnera pour les biens de la terre ceux du ciel, pour des biens passagers ceux qui demeurent toujours[1], pour des biens modestes des biens considérables, lorsqu'il nous présentera à son Père à qui il nous a rendus par la sanctification qu'il a opérée[2], qu'il nous dispensera l'éternité et l'immortalité pour lesquelles il nous a régénérés en nous vivifiant par son sang, qu'il nous ramènera dans le paradis et nous ouvrira les royaumes du ciel selon la loyauté et la vérité de sa promesse[3] ! Cet avenir, gardons-le fermement présent à notre conscience, comprenons-le grâce à une foi sans faille, chérissons-le de tout notre cœur, payons-en le prix par la générosité de nos incessantes bienfaisances.

---

trent que Cyprien ne laisse jamais de côté cette valeur forte du mot, même lorsque « rendre » ou « restituer à quelqu'un » est la seule traduction possible. Les deux emplois sont classiques. ~ La sanctification que le Christ a opérée, c'est la sanctification qui vient de l'incarnation et de la croix (ch. 1) et qui intervient dans la vie de chacun par le baptême, que précisément le mot *sanctificatio* désigne dans le ch. 2.

3. La longue phrase qui s'achève ici reprend et associe des thèmes déjà présentés à des moments divers du traité, successivement le thème de l'échange des biens terrestres contre ceux, bien plus considérables, de la vie éternelle (ch. 7), celui de la régénération, de la dispensation de la vie et de l'immortalité (ch. 1), celui du retour au paradis et de la régénération obtenus par le sang du Christ (ch. 22).

Praeclara et diuina res, fratres carissimi, salutaris operatio : solacium grande credentium, securitatis nostrae salubre
15 praesidium, munimentum spei, tutela fidei, medela peccati,
res posita in potestate facientis, res et grandis et facilis, sine
periculo persecutionis corona pacis, uerum Dei munus et
maximum, infirmis necessarium, fortibus gloriosum, quo
christianus adiutus perfert gratiam spiritalem, promeretur
20 Christum iudicem, Deum computat debitorem.

Ad hanc operum salutarium palmam libenter ac prompte
certemus, omnes in agone iustitiae Deo et Christo spectante
curramus et qui saeculo et mundo maiores esse iam coepi-
mus cursum nostrum nulla saeculi et mundi cupiditate tar-
25 demus. Si expeditos, si celeres, si in hoc operis agone cur-
rentes dies nos uel redditionis uel persecutionis inuenerit,

---

13 res + est *a* ‖ carissimi : dilectissimi *W Y* ‖ operatio : oratio *F* ‖ 15
praesidium : -dio *R* ‖ munimentum : monimentum *G²* monumentum *G¹*
‖ 16 posita + est *m²* ‖ facientis : -tes *W Y* -tibus *R* ‖ et¹ <*V*> : > *a* est
F²m p ‖ 18 infirmis + et *R* ‖ fortibus : fortioribus *m p* ‖ quo : quod *p* ‖ 19
adiutus : ac iustus *D R m p* ‖ perfert <*V*> : perferri *F* perferre *D* perfe-
ret *G* praefert *R m* ‖ promeretur : properetur *F* ‖ 20 Christum : -ti *W Y*
deum *R e* ‖ deum : christum *R* ‖ 22 omnes : + enim *R* omnis *W²* ‖ iustitiae + et *R* ‖ et > *D* ‖ spectante : //pectante *W* ‖ 23 et¹ : ut *m* ut et *p* ‖
qui > *a* ‖ maiores : -ris *F* ‖ 25 celeres : celerius *F* ‖ 26 uel > *D² R h* ‖ redditionis : reditionis *D e* redemptionis *p* ‖ uel persecutionis > *D* ‖ uel persecutionis ~ inuenerit *a* ‖ inuenerit : inueniat *F*

---

1. Dans les civilisations antiques la couronne, faite de feuillage, n'était
pas l'insigne de la royauté – c'était là l'office du bandeau royal noué sur
les cheveux, ou « diadème » –, mais, à côté de son usage dans les cérémonies religieuses païennes, elle constituait tout particulièrement la récompense d'une victoire remportée dans des concours sportifs ou bien à la
guerre face à l'ennemi. Cf. 1 Co 9, 24-25 où Paul oppose la couronne impérissable qu'attend le chrétien à la couronne périssable de l'athlète. Le texte
latin de Paul dont se sert Cyprien (*Ad Quirinum* 3, 26) n'a pas au v. 24
transcrit le grec βραβεῖον, récompense, prix, en *brauium*, comme fera la
Vulgate, mais l'a traduit par *palma*, qui précisément alterne ici avec *corona*
pour désigner la récompense du chrétien fidèle.

C'est une belle et divine chose, frères très chers, que cette bienfaisance qui sauve : un réconfort considérable pour les croyants, une sauvegarde de notre sécurité, un rempart pour l'espérance, une protection pour la fidélité, un remède pour le péché, quelque chose qui ne dépasse pas les forces de qui l'entreprend, quelque chose de grand et de facile, une couronne[1] qu'on gagne dans la paix sans les dangers de la persécution[2], une authentique prestation offerte à Dieu, éminente entre toutes[3], indispensable aux faibles, glorieuse aux forts, qui permet au chrétien de garder jusqu'à la fin la grâce de l'Esprit, de se créer des titres auprès du Christ qui sera son juge, de compter Dieu pour son débiteur.

Pour cette palme de la bienfaisance qui sauve, luttons de bon cœur et avec empressement, participons tous, dans la compétition de la justice, à la course qui a Dieu et le Christ pour spectateurs ; nous qui avons commencé déjà à nous élever au-dessus du siècle et du monde[4], ne laissons aucune convoitise du siècle et du monde ralentir notre course. Si le jour où nous devrons rendre nos comptes, ou encore le jour de la persécution, nous trouve allégés, lestes, en pleine course dans cette compétition de la bienfaisance, en aucun

2. *sine periculo persecutionis* : non pas « sans le danger d'être poursuivi, persécuté », mais « sans le danger que crée la persécution » (on risque de faiblir devant les menaces et les supplices, et de renier sa foi).

3. Sur la traduction de *dei munus*, voir la note complémentaire 16, p. 191 s.

4. *Saeculum* et *mundus* sont tous deux utilisés dans le latin des chrétiens pour signifier, par opposition à l'éternité céleste, l'existence d'ici-bas, tantôt objectivement et sans autre connotation, tantôt avec les connotations péjoratives de ce qui fait contraste avec le ciel : précarité, corruptibilité, péché. En eux-mêmes ils ne sont pas exactement synonymes, l'un évoque l'ici-bas plutôt dans sa dimension temporelle, l'autre l'ici-bas comme lieu. Dans les citations bibliques chez Cyprien, il arrive que κόσμος soit représenté par *saeculum* et non *mundus*, et Cyprien lui-même ne distingue guère les deux mots dans leur emploi péjoratif (ORBAN 1970, p.191).

nusquam Dominus meritis nostris ad praemium deerit, in
pace uincentibus coronam candidam pro operibus dabit, in
persecutione purpuream pro passione geminabit.

27 nusquam : num *R*   uos quam *a¹*   numquam <*V*> ‖ dominus : -num
W Y ‖ 28 pace + unice *a* ‖ uincentibus + enim *a* ‖ 29 geminabit : -nauit *G
R m²*   + in nomine domini nostri Iesu Christi Amen *R*

Caecilii Cypriani de opere et elemosynis explicit *F m p*   de opere et eli-
mosynis explicit *P W*   de opere et aelymosina explicit Caecilii Cipriani *Y*
Caecili Cypriani de opere et elemosyna explicit *R*   explicit de opere et aele-
mosine *G*   explicit   *deest in reliquis*

cas le Seigneur ne nous fera défaut pour récompenser nos mérites : si nous sommes vainqueurs dans la paix, il nous donnera la couronne blanche pour nos actes de bienfaisance, si nous le sommes dans la persécution, il y joindra la couronne empourprée pour notre passion [1].

---

1. Sur « couronne blanche... couronne empourprée », voir la note complémentaire 17, p. 192 s.

NOTES COMPLÉMENTAIRES

1
« Il s'est abaissé, pour remettre debout un peuple qui jusque-là gisait à terre » (ch. 1)

Ce passage ne cite pas l'apôtre Paul, mais il s'inspire étroitement de sa doctrine et de ses thèmes. En Ph 2, 7-8, Paul écrit, parlant du Christ : « Il s'est vidé lui-même (entendez : il s'est vidé de ses prérogatives divines ; c'est le thème fameux de la "kénose", ἐκένω-σεν ἑαυτόν), prenant forme d'*esclave*, s'assimilant aux hommes ; et reconnu homme à son aspect, il *s'est abaissé*, devenant obéissant jusqu'à la *mort*, et la *mort* sur une croix. » On a mis en italique les termes communs à Paul et à Cyprien ici. Ils concernent l'abaisse-ment volontaire du Fils de Dieu.

Mais chez Cyprien chaque forme que prend cet abaissement vise un relèvement symétrique de l'homme. Et ici nous rencontrons un second texte paulinien (2 Co 8, 9) : « A cause de vous il s'est fait pauvre, tout riche qu'il était, afin que vous, par sa pauvreté, vous deveniez riches. » Curieusement ce texte n'a été explicitement cité par Cyprien nulle part (*Biblia patristica*, t. 2, p. 398 ; FAHEY 1971, p. 467). Mais c'est bien le double mouvement qu'il décrit qui est ici repris.

Ph 2, 7-8 a fourni les thèmes de l'abaissement, de l'esclavage et de la mort ; 2 Co 8, 9 le thème du relèvement symétrique. Reste le thème des blessures : « Par les coups qu'il a reçus nous avons été guéris » (Is 53, 5, repris par 1 P 2, 24). La source ici n'est plus pau-linienne. Peu importe, Cyprien fait son miel de tout, et bâtit avec cela une période qui est bien sienne, en quatre phrases parallèles, exprimant chacune un double mouvement.

On notera encore la progression rhétorique qui fait que dans la première phrase il n'y a pas de reprise de vocabulaire et que seul le sens oppose *humiliare* et *erigere*, que dans la seconde et la troi-sième les parallélismes *uulneratus* /*uulnera* et *seruiuit* /*seruientes* sont explicites, et que dans la dernière avec *mori*, *inmortalitatem* et *mortalibus* le procédé s'élargit jusqu'à trois termes.

Il apparaît donc d'une part que Cyprien est suffisamment fami-lier des textes de l'Écriture les plus divers pour s'en souvenir ou même simplement en être influencé hors de tout recours à des citations explicites tirées de *Testimonia*, d'autre part que cette matière devient pleinement son bien dans une mise en forme où le rhéteur compétent qu'il a été se met sans excès d'artifice et sans lourdeur au service de la cause qu'il défend désormais.

Une réflexion structurée de manière analogue en mouvements croisés peut être repérée dans la préface de l'*Ad Fortunatum*, en 5, VI : *Subiungendum post haec quod redempti et uiuificati Christi sanguine nihil Christo praeponere debeamus, quia nec ille quicquam nobis praeposuerit et ille propter nos mala bonis praetulerit, paupertatem diuitiis, seruitutem dominationi, mortem immortalitati, nos contra in passionibus nostris paupertati saeculari paradisi diuitias et delicias praeferamus, dominatum et regnum aeternum temporariae seruituti, immortalitatem morti, Deum et Christum diabolo et antichristo*, « Il faut ajouter après cela que, rachetés et vivifiés par le sang du Christ, nous ne devons rien mettre avant le Christ, parce que lui non plus n'a rien mis avant nous, et qu'à cause de nous il a préféré les maux aux biens, la pauvreté aux richesses, l'esclavage à la seigneurie, la mort à l'immortalité, tandis que pour nous à l'inverse, subir le martyre c'est préférer à la pauvreté du siècle les richesses et les délices du paradis, la seigneurie et le règne éternels à l'esclavage temporaire, l'immortalité à la mort, Dieu et le Christ au diable et à l'antichrist. »

Dans une analyse très finement menée, CACITTI 1993 (p. 136-138) dégage le double mouvement qui anime ce texte, son rapport avec Ph 2, sa signification christologique, sotériologique, eschatologique, « l'inversion des signes » que produit la passion victorieuse du Christ dans l'appréciation de la réalité de ce siècle, l'éclairage dans lequel est mis le couple *paupertas / diuitiae*. Si ce couple a été laissé de côté dans le présent passage du *De opere*, on peut penser que ce fut pour éviter d'introduire prématurément et au milieu d'autres considérations une réflexion sur les richesses, avant que le thème de l'aumône ait été abordé.

2
Rachat des humains et rachat des péchés.
L'emploi du verbe *redimere* chez Cyprien (ch. 1)

Le monde antique est un monde dans lequel un être humain, même né libre, peut avoir besoin d'être racheté, par exemple s'il est tombé entre les mains de pirates ou de brigands, ou lorsque des prisonniers de guerre, voire toute la population d'une cité vaincue, sont vendus comme esclaves. Par conséquent, « racheter » est synonyme de « délivrer de l'esclavage », et la mention du rachat au ch. 1 *(homini qui redemptus est)* prolonge à quelques lignes d'intervalle « il a connu l'esclavage, pour rendre à la liberté ceux qui étaient esclaves » (esclaves du péché, de l'idolâtrie et de la mort).

Il est important de noter que ni les textes néotestamentaires qui comportent les mots λύτρον, « rançon » (Mt 20, 28 ; Mc 10, 45), λυτροῦν, « racheter » (Lc 24, 21 ; Tt 2, 14 ; 1 P 1, 18), λύτρωσις, « rachat » (Lc 1, 68 ; 2, 38 ; He 9, 12), ἀπολύτρωσις, « délivrance, libération (par un rachat) » (Lc 21, 28 ; Rm 3, 24[1] ; Rm 8, 23 ; 1 Co 1, 30 ; Col 1, 14 ; He 9, 15 ; 11, 35[2]), λυτρωτής, « rédempteur » (Ac 7, 35 : il s'agit de Moïse), ni les textes de Cyprien, ne posent la question de savoir à qui est payée la rançon qui libère les hommes ;

---

1. La note *x* de la *TOB* à cet endroit (p. 458) examine en détail l'emploi de ce vocabulaire dans les écrits pauliniens. De cet examen il ressort que « la notion de rançon ... n'est pas absente de la pensée de l'Apôtre, mais ses éléments sont inégalement valorisés », « cette expression signifie avant tout que le chrétien appartient à Dieu et est délivré de l'esclavage et de la captivité du péché et de la mort », « la métaphore n'est pas poussée plus loin : l'aspect de transaction est laissé dans l'ombre, ainsi que la personne à qui le prix est payé ». Cyprien est donc très fidèle à l'esprit des textes pauliniens.

2. Dans ce passage où il est question de martyrs de l'Ancienne Alliance qui ont préféré ne pas saisir l'occasion d'être délivrés (par un reniement) de leurs souffrances, la notion d'un éloignement qui délivre, induite par le préfixe ἀπο-, laisse évidemment de côté toute idée précise de rançon.

il ne faut donc pas presser à l'excès la métaphore[1]. C'est l'idée d'une libération d'un esclavage qui est essentielle[2].

Quant à la rançon elle-même, lorsqu'elle est précisée, c'est la vie, ψυχή, du Christ (Mt 20, 28 ; Mc 10, 45) ou son sang, αἷμα (1 P 1, 18 ; He 9, 12), ou lui-même, ἑαυτόν (Tt 2, 14). Pour Cyprien en ce premier chapitre, c'est en se faisant esclave, et en même temps en acceptant les blessures et la mort, que le fils de Dieu a délivré les hommes. Au ch. 7, par l'expression *uitam aeternam Christi cruore pretiosam*, il professe que le sang répandu du Christ a payé le prix de cette libération de la mort et a ainsi donné aux rachetés la vie éternelle.

L'examen de l'ensemble des emplois du verbe *redimere* dans les traités de Cyprien confirme que, chaque fois que c'est le Christ qui rachète, ce sont des hommes qui sont rachetés, et jamais les fautes des hommes, cependant que d'autres interventions du mot invitent les humains à racheter leurs péchés en utilisant les moyens que la bonté de Dieu met à leur disposition. Dans la théologie de Cyprien, le Christ, par son abaissement de fils de Dieu devenu fils d'homme et par sa passion, ne vient pas payer, ni à son Père ni au diable, la punition du péché des hommes, mais il « rachète » (sans qu'on précise jamais un destinataire de la rançon) les humains devenus esclaves du péché et de la mort. Les hommes sont invités, eux, à « racheter » leurs fautes, non par des moyens qu'ils inventeraient mais en adhérant à ceux que leur offre la *clementia* de Dieu, c'est-à-dire le baptême et, le baptême une fois reçu, l'aumône (et dans d'autres textes, la prière, le jeûne, les marques de pénitence).

1. De même, à propos de Tertullien, R. BRAUN 1977 (p. 509) remarque qu'« il n'a nullement en vue le versement d'une rançon acquittée à quelqu'un (Dieu ou démon) ».
2. Pour confirmer que dans l'usage biblique « racheter » veut dire « délivrer de l'esclavage », on peu invoquer Dt 24, 18 : « Souviens-toi que tu servais en Égypte, et que le Seigneur ton Dieu t'a délivré (ἐλυτρώσατο) de là. » Voir aussi Ps 77, 42.

3
L'aumône, moyen d'effacer les péchés commis après le baptême.
Les sources de la doctrine de Cyprien (ch. 1)

On peut distinguer :

1. Les sources bibliques explicites. Il s'agit des textes d'Écriture, cités par Cyprien, dans lesquels il est dit précisément que l'aumône efface les péchés, éteint le péché, délivre du péché, etc. Encore faut-il remarquer que ces textes subissent malgré tout un complément d'interprétation qui, laissant au baptême le rachat des fautes commises avant la conversion, reporte l'efficacité purificatrice de l'aumône sur la seule partie de la vie qui suit ce baptême. Voici la liste de ces citations, chapitre par chapitre :

ch. 2. Pr 15, 27a : *Eleemosynis et fide delicta purgantur.*

Si 3, 30 : *Sicut aqua extinguit ignem, sic eleemosyna extinguit peccatum.*

ch. 5. Dn 4, 27 (Vulgate 4, 24) : *Peccata tua eleemosynis redime et iniustitias tuas miserationibus pauperum, et erit Deus patiens peccatis tuis.*

Tb 12, 8-9 : *Bona est oratio cum ieiunio et eleemosyna, quia eleemosyna a morte liberat et ipsa purgat peccata.*

2. Les sources bibliques interprétées. Il s'agit des textes d'Écriture, cités par Cyprien, dans lesquels il est dit que l'aumône purifie, délivre de tout mal, délivre de la mort, etc. Dans le texte biblique pris en son contexte, la mort, le mal, l'impureté peuvent avoir aussi bien un caractère matériel ou social. Sans exclure cet aspect des choses (l'aumône a vraiment délivré Tabitha de la mort physique), Cyprien interprète fondamentalement ces textes dans le sens d'une délivrance du péché et de ses conséquences, en vue de la vie éternelle. Voici la liste de ces citations interprétées, chapitre par chapitre :

ch. 5. Si 29, 12 (Vulgate 29, 15) : *Conclude eleemosynam in corde pauperis, et haec pro te exorabit ab omni malo.*

ch. 6. Ac 9, 39-40 (Pierre ressuscite Tabitha, sur la prière des veuves qu'elle habillait).

ch. 20. Tb 4, 10 (Vulgate 4, 11) : *eleemosyna a morte liberat.*

Parmi ces sources bibliques explicites ou interprétées, il en est qui traitent de l'aumône seule, d'autres qui l'associent ici à la foi, et là au jeûne et à la prière ; cette dernière association se retrouve chez certains prédécesseurs de Cyprien et chez lui-même dans le *De lapsis*.

   3. *Les auteurs antérieurs à Cyprien*[1]. Même lorsque certains de ces auteurs, notamment ceux qui écrivent en grec, n'ont probablement pas été lus par Cyprien, il est utile de savoir qu'une doctrine analogue à la sienne, ou la préparant, était déjà reçue dans certaines communautés chrétiennes, et cela en un temps ou les échanges de messages et de messagers n'étaient pas rares même entre des Églises éloignées.

   Le texte le plus ancien est probablement un passage de cette homélie anonyme du IIe siècle transmise à la suite de l'*Épître aux Corinthiens* de Clément de Rome sous le titre, unanimement condamné aujourd'hui, de *Seconde épître aux Corinthiens*. On y lit : « L'aumône est une excellente pénitence pour le péché ; le jeûne vaut mieux que la prière, mais l'aumône l'emporte sur l'un et l'autre. (...) Heureux l'homme qui est trouvé riche en toutes ces choses ; car grâce à l'aumône, le péché pèse moins lourd. Faisons donc pénitence de tout notre cœur, afin qu'aucun d'entre nous ne périsse[2]. » L'aumône ici est associée au jeûne et à la prière, comme elle l'était au ch. 12 du livre de *Tobie*, et comme elle le sera encore par Cyprien lui-même dans le *De lapsis* (ch. 35)[3] ; elle est néanmoins déjà la forme de pénitence la plus efficace des trois, et sa puissance pour écarter les conséquences mortelles du péché est nettement affirmée.

   1. On s'était aidé pour les identifier des index de certaines éditions (par exemple au mot *eleemosyna*), et de la *Biblia patristica,* qui permet de retrouver les textes qui ont invoqué avant Cyprien les mêmes passages de la Bible. Le livre récent de R. GARRISON, *Redemptive Almsgiving in Early Christianity* (GARRISON 1993), confirme l'importance de la *II^a Clementis* pour l'élaboration de la doctrine dans les premiers textes chrétiens en grec.
   2. *Homélie du IIe siècle*, 16, 4 – 17, 1, Trad. de Sœur Suzanne-Dominique o.p., dans *Les Pères apostoliques*, Paris 1991, p. 142.
   3. Conseils aux *lapsi* voulant se réconcilier avec Dieu : *Orare oportet inpensius et rogare, diem luctu transigere, uigiliis noctes ac fletibus ducere ; ... post diaboli cibum malle ieiunium ; iustis operibus incumbere quibus peccata purgantur, elemosynis frequentare insistere quibus a morte animae liberantur.*

La *Lettre aux Philippiens* de Polycarpe de Smyrne est bien moins explicite, en son ch. 10 : « Quand vous pouvez faire le bien, ne différez pas, car "l'aumône délivre de la mort". »

A Carthage même, Tertullien, qui ne manque pas de préconiser l'aumône, ne met pas explicitement en avant qu'elle puisse effacer les péchés. L'examen des diverses occurrences d'*eleemosyna* dans son œuvre demeure décevant sur ce point, et même lorsqu'il cite (*Marc.* 4, 27) le texte de *Luc* (11, 41) où l'on peut lire « donnez en aumône *(eleemosynam)* ce que vous possédez, et tout pour vous sera pur », il ne l'exploite pas en ce sens. Une phrase du *De patientia*, dans un passage où le lecteur est invité à supporter sans aucune impatience les pertes de fortune, implique cependant que pratiquer l'aumône nous donne la vie : « Il convient que nous renoncions à l'argent au profit de la vie (ou : de l'âme) soit en en faisant largesse de nous-mêmes, soit en le perdant avec patience. »

De cette enquête on peut conclure que Cyprien n'est pas l'auteur de l'idée que l'aumône efface les péchés puisque cette idée est présente dans l'Écriture et chez des auteurs grecs antérieurs, une idée qu'il avait déjà reprise dans le *De lapsis* au ch. 35, mais il me semble qu'il est le premier à avoir développé cette idée comme une doctrine distinctement formulée de la rémission des fautes commises après le baptême, en la reliant à la doctrine générale du salut, que ce soit ici ou dans la *Lettre* 55 (22, 1)[1].

R. Garrison prend pour point de départ de sa recherche sur l'aumône rédemptrice dans les premiers temps du christianisme la contradiction qu'il aperçoit entre la doctrine néo-testamentaire du salut par le seul sacrifice de Jésus et l'importance de certaines œuvres, notamment l'aumône, bientôt considérée comme rachetant le péché : « Théologiquement, un appel du christianisme primitif à pratiquer l'aumône comme une offrande ultérieure[2] pour le péché non seulement est inattendu, mais semble aussi nier virtuellement que la mort de Jésus ait constitué une expiation pleine et entière pour les péchés » (GARRISON 1993, p. 15). La suite de son livre montre comment les conditions sociales du développement de la communauté des croyants, les idées ambiantes, les suggestions tirées de l'Écriture, ont permis l'essor de l'idée que l'au-

---

1. Voir p. 75, n. 5.
2. Au sens de « s'ajoutant aux effets du baptême ».

mône peut être salvatrice, mais la contradiction originelle n'y paraît pas surmontée. En faisant découler le commandement de l'aumône de la même *clementia* divine qui a envoyé le Fils opérer notre salut, en liant l'*operatio* des hommes à l'*operatio* rédemptrice du Christ, Cyprien est, croyons-nous, le premier à avoir unifié la doctrine et porté remède à la contradiction apparente.

4
docens scilicet et ostendens (ch. 2, l. 16)

Soulignée ou non par *scilicet*, la coordination *docens et ostendens* introduit neuf fois chez Cyprien une explicitation de la leçon contenue dans un passage d'Écriture : parole ou acte du Christ, parole d'un apôtre, parole de l'Esprit s'exprimant dans un psaume ou une prophétie. Elle intervient en général aussitôt après la citation qu'elle commente, parfois elle la précède. *Docens scilicet et ostendens* du ch. 2 du *De opere et eleemosynis* ne constitue donc qu'un cas parmi d'autres d'un tour habituel chez l'auteur, et d'emploi quelque peu machinal. Il entre dans cette catégorie du redoublement d'expression avec une légère variation, si possible selon un rythme croissant *(ostendens* est plus long que *docens),* qu'affectionne Cyprien.

Les autres occurrences se rencontrent dans quatre *Lettres* (*docens et ostendens* : 63, 12, 2 ; 66, 8, 3 ; *docens scilicet et ostendens* : 67, 3, 1 ; 69, 9, 2) et quatre traités, là encore deux fois avec *scilicet* (*De dominica oratione* 31, 586 ; *De zelo et liuore* 13, 231) et deux fois sans (*De mortalitate* 7, 99 ; *Ad Fortunatum* 10, 10)[1].

La *Lettre* 63 est de date incertaine, car son sujet, la nécessité de recourir pour la célébration de l'Eucharistie à du vin et non pas simplement à de l'eau, ne l'apparente à aucune autre et ne se réfère à aucune polémique connue et datée par ailleurs (CLARKE 1986, p. 288, juge vraisemblable la période 254-256). DUQUENNE 1972 (p. 161) assigne les trois autres lettres aux années 254-255. Pour

---

1. Notons pour mémoire les variantes suivantes, chacune à un seul exemplaire : *significans scilicet et ostendens* (*Ep.* 59, 7, 3) ; *admonens scilicet et ostendens* (*De ecclesiae catholicae unitate* 18, 448) ; *admonens et docens* (*Ad Fortunatum* 7, 17) ; *monens et ostendens* (*De opere et eleemosynis* 2, 21).

G.W. Clarke, la *Lettre* 66 peut se situer de la fin de 253 à 255, plus probablement en 254 (CLARKE 1986, p. 321-322), la *Lettre* 67, lettre synodale dont Cyprien est le premier signataire et assurément le principal rédacteur, entre 254 et 257, assez vraisemblablement l'automne 256 (CLARKE 1989, p. 139 et 143), la lettre 69 de la fin de 253 au début de 255 (CLARKE 1989, p. 174).

La fourchette chronologique s'élargit un peu avec les traités. Le *De mortalitate* est étroitement dépendant de la peste de 252-253. L'*Ad Fortunatum*, dossier scripturaire rassemblé pour conforter les fidèles quand menace une persécution, est généralement rapporté à la persécution de Gallus – en fait plus vive à Rome qu'en Afrique –, liée elle-même aux sacrifices ordonnés par l'empereur pour conjurer le fléau ; on est donc ramené à la même période [1]. Le *De dominica oratione* est placé par C. Moreschini (*CCL* IIIA, p. 88) après le *De ecclesiae catholicae unitate* d'après la « liste » de Pontius, ce qui le mettrait en 251-252, mais M. Réveillaud, dans son édition de 1964, préfère 250. Quant au *De zelo et liuore*, son éditeur au *CCL* (IIIA, p. 74), M. Simonetti, le situe après la persécution de Dèce (250-251) et avant celle de Valérien (257-258), sans pouvoir préciser plus.

On voit donc que les datations les plus assurées vont de 252 à 256 ou 257. Seule la date proposée par M. Réveillaud pour le *De dominica oratione* obligerait à remonter plus haut. On notera pourtant que ni les lettres les plus anciennes, ni les deux traités dont la date antérieure à la persécution de Dèce est reconnue par tous, *Ad Donatum* et *De habitu uirginum*, ni le *De lapsis* qui la suit immédiatement, ne sont représentés dans le dossier. Cette habitude d'expression n'apparaît dans le style de Cyprien qu'au bout d'un certain temps. L'hypothèse qui assigne le *De opere et eleemosynis* à la première année de l'épiscopat de Cyprien bouleverserait ces données. Nous ne l'avons pas adoptée.

---

1. DUQUENNE 1972, p. 160. On pourrait penser aussi à l'approche de la persécution de Valérien, en 257. La « liste » de Pontius place apparemment *Ad Fortunatum* après toutes les autres œuvres (PELLEGRINO 1955, p. 123).

5

uestimenta tua cito orientur.
Une erreur de lecture dans la transmission
de la Septante (ch. 4, l. 18-19)

Ce texte de la citation d'*Isaïe* proposée par Cyprien dans le ch. 4 repose sur une lecture erronée du passage dans la Bible grecque. Celle-ci porte en Is 58, 8 : τὰ ἰάματά σου ταχὺ ἀνατελεῖ, « les signes de ta guérison apparaîtront vite », d'après un texte hébreu qui se traduit littéralement « ta cicatrisation » (*TOB*) ou « ta cicatrice (CHOURAQUI 1985) germera vite ». Les connotations du verbe ἀνατέλλειν sont exactement celles du verbe *oriri*, et ἀνατολή est le nom de l'Orient. On peut même remarquer que sur les huit emplois néo-testamentaires du mot ἀνατέλλειν (SCHMIEDT-GREENFIELD 1977, p. 19), s'il y en a un qui concerne une nuée sombre qui s'élève à l'occident, six disent l'apparition du soleil ou de la lumière du matin, et un l'apparition du Seigneur issu de la tribu de Juda. Mais que s'est-il passé pour qu'« apparaissent » ici des vêtements dans la citation de Cyprien, comme ils apparaissaient déjà chez Tertullien (*Res.* 27, 3) ?

Le texte grec qui a servi de base à la traduction latine qu'il a utilisée donnait certainement, au lieu de τὰ ἰάματά σου, soit τὰ ἱμάτιά σου, soit plutôt τὰ εἵματά σου, dans les deux cas « tes vêtements », et on a donc compris : « tes vêtements apparaîtront (comme une aurore), s'illumineront. » La lecture fautive se retrouve ailleurs, puisqu'elle entache, dans une partie de la tradition, la citation que fait de ce passage d'*Isaïe* l'ouvrage grec du second siècle connu sous le nom d'*Épître de Barnabé* 3, 4. L'édition de ce texte procurée par P. Prigent et R.A. Kraft donne bien ἰάματά, « guérisons », d'après la plupart des manuscrits recensés (*SC* 172, Paris 1971, p. 89), mais l'apparat critique relève aussi ἱμάτια (d'après une traduction latine remontant à la fin du second siècle ou au troisième) et indique que la première main, avant correction, du *Codex Sinaiticus* (IVe siècle) donnait IMATA, qui peut fort bien, à notre avis, recouvrir la prononciation de εἵματά à cette époque (la traduction publiée dans *Les pères apostoliques* de la collection Foi vivante a laissé passer : « tes vêtements »).

Ce type de mauvaise lecture n'est pas isolé : en *Ad Quirinum* 3, 58 la citation que fait Cyprien de 1 Co 15, 54 repose sur une lecture erronée de νῖκος lu νεῖκος. FAHEY 1971 (p. 463) relève cette dernière erreur, mais il n'a pas décelé (p. 212) celle qui affecte Is 58, 8.

Notre texte, né d'une bévue, n'est pas pour autant dépourvu de sens, car promettre au miséricordieux que ses vêtements brilleront, c'est l'assimiler à la foule innombrable des élus qui, au ch. 7 de l'*Apocalypse*, louent Dieu et l'Agneau, vêtus de robes « d'un blanc lumineux » (Ap. 7, 9), puisque tel est le sens exact de l'adjectif grec λευκός, même si Cyprien dans ses florilèges bibliques, comme plus tard la Vulgate, le traduit par *albus* et non par *candidus* ; la Vulgate fait de même dans les récits de la Tranfiguration, où pourtant tout est évidemment éclatant de lumière. A moins encore que les vêtements qui s'illuminent soient non pas ceux que le miséricordieux porte sur lui, mais ceux qu'il a donnés au pauvre, c'est-à-dire au Christ, selon ce que rappellera plus loin le ch. 23.

Le *De dominica oratione* présente au ch. 33 le même texte d'*Isaïe*. Dans l'annotation dont Michel Réveillaud accompagne sa traduction (RÉVEILLAUD 1964), le problème n'est pas discuté.

6
δόξα, *claritas* et *gloria* chez Cyprien (ch. 4)

Dans l'ensemble des traités de Cyprien, *claritas* apparaît 46 fois dans des citations bibliques, et seulement cinq fois sous la plume de l'auteur lui-même. Encore faut-il noter que dans trois de ces cas (*Ad Fortunatum* 13, 9 ; *De mortalitate* 22, 380 ; *De habitu uirginum* 6, 13) l'emploi du mot suit de près une citation biblique qui le contenait déjà, qu'en *De ecclesiae catholicae unitate* 27, 615 le contexte où se succèdent *luceat, lumen, lucem,* favorise *claritas* plus concret en latin que *gloria*, qu'en *De bono patientiae* 3, 41 enfin le recours à *claritas* permet un effet d'écho avec le mot coordonné *dignitas*. Il faut donc des circonstances bien particulières pour que Cyprien fasse appel au mot *claritas*, que sa Bible lui offre pourtant si souvent.

Au contraire, dans le même corpus des traités, *gloria* intervient 43 fois du fait de Cyprien, et seulement 10 fois dans des citations bibliques. Il est piquant de noter qu'en Is 66, 18-19, cité par *Ad Quirinum* 1, 21, 56, le grec utilise trois fois le mot δόξα dans ces deux versets, que la Vulgate le traduira les trois fois par *gloria*, mais que la Bible de Cyprien intercale un *gloria* entre deux *claritas*. Pour cette vieille version africaine, il semble que *claritas* soit la traduction courante de δόξα, *gloria* l'exception, appelée ici par une volonté de varier.

Sur l'emploi de δόξα, *claritas, gloria* dans les traductions de la Bible et chez les premiers écrivains chrétiens, voir MOHRMANN 1977, p. 198-203, et VERMEULEN 1956, qui confirme p. 19 : « Dans les versions nettement africaines δόξα est habituellement rendu par *claritas*, rarement par *gloria*, deux fois seulement par *maiestas*. En revanche, dans les versions européennes *gloria* est la traduction la plus commune, tandis que *maiestas* intervient plusieurs fois. »

7

ac diuina ope impetranda (ch. 5, l. 15)

En gardant le texte de l'ensemble de ses manuscrits les plus anciens, M. Simonetti a choisi ici la *lectio difficilior*, et nous acceptons son choix. On a déjà noté que l'emploi du datif du gérondif ou de l'adjectif verbal pour signifier la fin en vue de laquelle une action est faite ou une fonction est instituée, usuel en langue classique dans certaines formules officielles seulement, s'est généralisé dans le latin impérial et tardif. *Auertendis malis ... remedium dedit* ne présente donc pas de difficulté. Mais que vient faire l'ablatif *diuina ope impetranda* ? Traduire « pour détourner le malheur en obtenant le secours de Dieu » est tentant, mais ne faudrait-il pas alors supprimer *ac* (et non pas seulement l'abréger en *a*, comme avait cru pouvoir faire Hartel) ? Le parti que nous avons pris repose sur la traduction littérale : « il lui donna un remède destiné à détourner le malheur et (agissant) par l'obtention du secours divin, en disant ».

On n'a finalement pas osé retenir l'hypothèse selon laquelle l'homonymie du datif et de l'ablatif dans les fréquents emplois du datif de but au pluriel, ou au singulier de la seconde déclinaison, jointe ici à l'inexistence du datif dans le paradigme de *ope*, aurait favorisé une sorte d'équivalence entre les deux cas pour cette construction, équivalence au demeurant point totalement absente en apparence à une époque plus classique : Tite-Live, qui écrit en 22, 25, 5 à propos de deux préteurs nouvellement élus : *Philo Romae iuri dicundo urbana sors, Pomponio inter ciues Romanos et peregrinos euenit*, « à Philus le sort attribua la préture urbaine pour prononcer la justice à Rome, à Pomponius <la charge de la prononcer> entre les citoyens romains et les étrangers », a écrit en 42, 28, 6, où il s'agit cette fois de six préteurs : *His praetoribus prouinciae decretae, duae iure Romae dicendo...*, « à ces préteurs furent assignées leurs "provinces" : deux pour prononcer la justice à Rome... ». Certes les historiens de la langue ont établi aujourd'hui que *iure* dans ce texte représente en fait une forme archaïque de datif *iurē* [1], mais quel lecteur de Tite-Live en était averti, surtout au troisième siècle ? Cette hypothèse aurait amené à traduire : « pour détourner le malheur et obtenir le secours de Dieu ».

Le traitement par ordinateur de l'ensemble des traités de Cyprien édités dans le *Corpus christianorum (CCL)* a permis d'établir que, si l'on trouve bien dans ces textes quelques datifs incontestables de l'adjectif verbal, non susceptibles d'être confondus avec des ablatifs (*De opere* 1 : *ut homini ... reseruando plenius consulatur* ; dans *De lapsis* 6, *studebant augendo patrimonio*, malgré l'ambiguïté morphologique, on a certainement le datif qu'exige le verbe *studere*), il s'agit toujours de datifs en dépendance de verbes exigeant ce cas, et non pas de datifs à caractère final. La possibilité dans ce dernier cas d'une indétermination entre datif et ablatif reste donc ouverte.

8
Pierre et Tabitha : la réécriture d'un passage des *Actes* (Ac 9, 36-42) (ch. 6)

Au ch. 6 Cyprien a choisi de ne pas recopier l'épisode de la résurrection de Tabitha. Il reprend le récit des *Actes* avec ses propres phrases et en le commentant. On trouvera ci-dessous notre

---

1. P. MONTEIL, *Éléments de Phonétique et de Morphologie du Latin*, Paris 1970, p. 184.

traduction du texte de Cyprien présentée de manière à faire ressortir le travail de l'écrivain :
– romain : passages paraphrasés sans graves modifications ni de contenu ni d'étendue ;
– *italiques : éléments ajoutés ;*
– **gras : passages fortement résumés et écourtés ;**
– [...] : suppression pure et simple.

« Tabitha [...], qui s'était consacrée très activement à la pratique d'une juste bienfaisance et à la distribution d'aumônes, était tombée malade et était morte : **elle ne respirait plus lorsqu'on appela Pierre auprès du cadavre. Pierre,** *montrant les sentiments humains de l'apôtre,* **était arrivé** sans tarder, et les veuves l'entourèrent en pleurant et en le priant de faire quelque chose : elles lui présentaient les manteaux, les tuniques, tous les vêtements qu'elles avaient autrefois reçus, *et elles suppliaient en faveur de la défunte non pas par leurs paroles, mais par ses œuvres à elle. Pierre comprit qu'il était possible d'obtenir ce qui était ainsi demandé, et que le secours du Christ ne manquerait pas à la supplication des veuves, puisqu'en leur personne c'était lui qui avait reçu ces vêtements. C'est pourquoi,* [...] après avoir prié à genoux, après avoir *en bon défenseur des veuves et des pauvres* porté devant le Seigneur les prières qui lui avaient été confiées, il se tourna vers le corps qui gisait déjà lavé et exposé, et il dit : « Tabitha, debout, au nom de Jésus-Christ[1] ! » *Et il ne manqua pas d'apporter aussitôt à Pierre son secours, celui qui avait dit dans l'Évangile que serait accordé tout ce qui serait réclamé en son nom. Ainsi la mort en elle est tenue en arrêt,* **le souffle lui est rendu ;** [...] tous s'étonnent et restent interdits *de voir revenir à la lumière de ce monde-ci un corps qui reprend vie et qui s'anime. Voilà ce qu'ont pu les mérites de la miséricorde, voilà ce que les œuvres d'une juste bienfaisance ont obtenu. Elle avait prodigué aux veuves en difficulté son soutien pour les faire vivre, elle a mérité d'être rappelée à la vie sur la requête des veuves. »*
Les suppressions et abrégements ne relèvent pas tous d'un même souci. Dans plusieurs cas, Cyprien élimine des détails anecdotiques

---

1. La formule « au nom de Jésus-Christ », absente du texte reçu des *Actes*, ne doit pas être considérée comme une addition car certains témoins de vieilles versions latines ou orientales la contiennent.

sans intérêt pour son propos : le sens (gazelle) du mot sémitique Tabitha, les déplacements qui ont été nécessaires pour aller chercher Pierre à Lydda, les signes physiques du retour de Tabitha à la vie. Là où les *Actes* écrivent : « Elle ouvrit les yeux, et, à la vue de Pierre, elle se redressa et s'assit. Il lui donna la main, la fit lever » (trad. *TOB*). Cyprien se contente de « le souffle lui est rendu », ce qui est moins une indication concrète que le pendant de « elle ne respirait plus » énoncé à propos de sa mort, le souffle (tel est d'ailleurs le sens originel des mots ψυχή et *anima*) se confondant avec la vie.

La suppression de « Pierre fit sortir tout le monde » avant le miracle, et de « rappelant les saints et les veuves, il la leur présenta vivante » après, relève d'une autre raison. Il ne s'agit pas ici de détails anecdotiques, Pierre s'y montre soucieux de préserver autour du mystère de l'action divine le même secret et la même solitude que jadis Élie (1 R 17, 19) et Élisée (2 R 4, 33) dans des situations analogues, secret que Jésus n'avait rompu qu'en faveur des trois disciples majeurs (dont Pierre), et du père et de la mère de l'enfant qu'il allait rendre à la vie, en excluant la foule (Mc 5, 40 et les passages parallèles). Mais l'attention portée à cet aspect de l'événement entraînerait Cyprien sur des chemins qu'il ne veut pas prendre ici, où seule lui importe la puissance de l'aumône contre la mort.

Dans ce qui est conservé à peu près tel quel, on notera la mention des tuniques et des manteaux, signes de la charité de la défunte, évidemment nécessaires à la démonstration, et l'indication que le corps a été lavé et exposé, qui a été déplacée dans le récit (dans les *Actes* cela se lit aussitôt après le décès, et avant l'appel à Pierre), mais cependant maintenue afin de manifester la réalité de la mort. Le texte des *Actes* précise que l'exposition a lieu « dans la chambre haute » (ἐν ὑπερῴῳ). Comme la maison de Jérusalem où se déroula la Cène, la demeure de Tabitha à Joppé comporte une « chambre haute » sur la terrasse. Dans le monde romain occidental, en parler apporterait seulement une touche d'exotisme. Cyprien a donc mis l'accent sur la seule exposition du corps, en remplaçant l'indication de la salle où elle se déroule par la mention de la planche sur tréteaux qu'elle nécessite.

Les additions portent sur :

– l'humanité que montre Pierre, discrète invitation à imiter les vertus de l'apôtre,

– la prière des veuves, implicite dans les *Actes*, explicite dans le récit de Cyprien, ici encore discrète invitation à ne pas négliger de demander des grâces que l'Église peut obtenir de Dieu,

– l'apport des œuvres (de la bienfaisance) à l'efficacité des paroles de la prière,

– la foi et le discernement de Pierre, qui comprend à quelles conditions une prière peut être exaucée jusqu'à produire un miracle, avec le rappel que le vêtement donné à l'indigent est donné au Christ (Mt 25, 36.40),

– le rappel d'une parole du Christ sur l'exaucement des prières formulées en son nom (Jn 16, 23),

– un commentaire conclusif bien développé sur la puissance des mérites acquis par la miséricorde.

Ces diverses additions enrichissent la leçon de l'épisode en le reliant à deux textes d'Évangile, invitent plus explicitement à imiter la conduite tour à tour de Tabitha, de Pierre, des veuves, dans leur charité, leur foi éclairée, leur prière, enfin permettent à Cyprien de mettre en valeur dans un commentaire l'efficacité des œuvres de la miséricorde en vue de la vie (en toutes ses formes) de celui qui les pratique.

9
dari dixerat quicquid fuisset eius nomine postulatum (ch. 6, l. 20)

La forme de plus-que-parfait du subjonctif *fuisset postulatum* appelle deux remarques. 1) Le rapprochement de cette forme avec *cum infirmata esset et mortua* au début du même chapitre montre que chez Cyprien la concurrence, pour les formes composées du perfectum passif, entre les formes du verbe *esse* empruntées à l'infectum (*sum*, etc.), d'emploi classique, et les formes de perfectum (*fui*, etc.), d'emploi préroman, est déjà un fait acquis de la langue latine tardive ; *largita fuerat*, quelques lignes plus loin, apporte une confirmation. 2) Ce plus-que-parfait représente en réalité un futur antérieur transposé dans un style indirect au passé ; le style direct aurait été : *Christus dixerat : « Dabitur quicquid fuerit (= erit) meo nomine postulatum »* (cf. Jn 16, 23 : *si quid petieritis Patrem in nomine meo, dabit uobis*).

On remarquera encore qu'avec *dari* le temps futur n'est pas explicitement traduit dans l'infinitive, ce qui n'est pas étonnant car la forme périphrastique *datum iri* ne s'est jamais vraiment imposée, pas plus qu'aucune autre d'ailleurs, en l'absence d'un véritable infinitif futur passif[1]. ~ *Eius nomine* ne respecte pas les règles classiques du réfléchi indirect, qui feraient attendre *suo nomine* : cet emploi d'*eius* ou *eorum* n'est pas isolé chez Cyprien, cf. *De lapsis* 8, 154 : *quot ne eorum interitus differretur (..) rogauerunt* !

10
magis (ch. 9, l. 10)

L'emploi de *magis* au sens de *potius*, « plutôt », est classique, mais son utilisation pour opposer deux propositions, à la manière d'une conjonction, marque une évolution de la langue. Cicéron employait ainsi *sed magis*, « mais plutôt » (par exemple *De oratore* 1, 30 ; *Fam.* 7, 18). La première attestation de *magis* en asyndète semble se trouver chez Catulle, en 68, 30 : *Id, Manli, non est turpe, magis miserum est*, « Non, Manlius, ce n'est pas une honte, mais plutôt un malheur ». En prose, Salluste, *Bellum Iugurthinum* 96, 2 : *(beneficia) ipse ab nullo repetere ; magis id laborare ut illi quam plurimi deberent*, « il ne réclamait lui-même jamais rien à personne, tâchait au contraire d'avoir le plus de débiteurs qu'il pouvait » (« au contraire » n'est pas notre interprétation, mais est tiré de la traduction d'A. Ernout). Ce tour, devenu courant avec le latin tardif, a abouti au français « mais » et à l'italien « ma ».

11
corban (ch. 15, l. 4)

Le mot hébreu *qorban*, « oblation » d'un sacrifice, « offrande », a été transcrit de diverses manières en grec et en latin. Tantôt, et c'est le cas ici, il est présenté sous la forme d'un mot indéclinable

---

1. Sur l'emploi par Cyprien d'infinitifs présents là où l'on attendrait un futur, voir SCHRIJNEN-MOHRMANN 1937, p. 15.

κορβᾶν (Mc 7, 11) et *corban*. Tantôt il reçoit une flexion dans la langue d'accueil, et il devient κορβανᾶς (accusatif κορβανᾶν en Mt 27,6) ou κορβωνᾶς (Flavius Josèphe, *Guerre des Juifs* 2, 175), d'où en latin les accusatifs *corbanan* ou *corbonam* (ainsi en Mt 27, 6, selon les manuscrits).

C'est bien sûr par les évangiles qu'il est entré dans le vocabulaire chrétien. En Mc 7, 11[1], il désigne un bien que son possesseur a voué à un usage religieux, s'interdisant ainsi d'y puiser pour un usage profane, fût-ce le soutien dû à ses vieux parents. En Mt 27, 6, il s'agit du trésor sacré, dans lequel on ne peut verser un argent qui a été le prix du sang. Ailleurs dans l'Évangile le trésor du Temple est appelé γαζοφυλάκιον (en latin *gazophylacium*), notamment dans l'épisode de l'obole de la veuve en Mc 12, 41.43, mais il s'agit bien de la même chose, comme en témoigne le texte de la *Guerre des Juifs* auquel on s'est référé plus haut, et dans lequel, à propos d'un épisode qui se situe précisément à l'époque de la magistrature de Pilate, Josèphe note l'équivalence des deux termes : τὸν ἱερὸν θησαυρόν, καλεῖται δὲ κορβωνᾶς, « le trésor sacré, qu'on appelle *corban* ».

Corban est absent des œuvres de Tertullien. Chez les écrivains latins chrétiens postérieurs, il s'agit toujours apparemment de commentaires des textes évangéliques contenant le mot (Hilaire) ou de la reprise du texte cité de la *Guerre des Juifs* (Rufin traduisant l'*Histoire ecclésiastique* d'Eusèbe de Césarée). L'utilisation de *corban* dans une acception purement chrétienne et contemporaine paraît propre à Cyprien[2], et dans ce seul texte. Le « corban » auquel la riche dame ne donne pas un regard, c'est évidemment, sous une forme ou sous une autre, l'offrande faite à Dieu à travers

---

1. Le passage parallèle de Mt 15, 5 utilise simplement le mot grec δῶρον, « don, présent » (fait à Dieu reste sous-entendu).

2. En latin du moins. En grec, dans les *Constitutions apostoliques* 2, 36, 8 (SC 320, p. 260), on lit dans un passage concernant les dons apportés par les fidèles lors des liturgies : « En jetant dans le corban ce que tu peux (Εἰς τὸν κορβανᾶν ὃ δύνασαι βάλλων), partage avec les étrangers, donne une, deux ou cinq pièces. » Malheureusement cette mention du *corban* se situe bien après Cyprien, car le membre de phrase où elle se lit a été écrit par le compilateur et rédacteur définitif des environs de l'an 380, et ne se trouve pas dans le texte du IIIe siècle qu'il reprend en le remaniant, la *Didascalia apostolorum*.

le secours apporté aux pauvres. On remarquera le retournement opéré par l'usage cyprianique du terme par rapport à l'abus dénoncé en Mc 7. Loin que le versement au trésor sacré empêche de secourir les nécessiteux, il y pourvoit. Cela est rendu possible par l'assimilation au Christ, fondée sur Mt 25, 31-46, de tout affamé, de tout étranger sans toit, de tout malade à soigner.

Mais de quelle manière ce « corban » se présentait-il ? Sous quelle forme la collecte avait-elle lieu ? Cyprien n'en dit rien. On a fait des suppositions. Blaise traduit *corban* par « tronc » (BLAISE 1954, p. 223). « Je crains que ce soit un anachronisme », commente SAXER 1969 (p. 245) avec juste raison, mais lorsqu'il voit lui-même dans le *corban* une espèce de corbeille il n'apporte en faveur de son choix qu'un renvoi à un passage du livre de Dekkers sur Tertullien (DEKKERS 1947, p. 54, n. 5), passage dans lequel cette interprétation est en effet affirmée, mais sans recevoir de justification particulière, puisque le texte du *Testamentum Domini*[1] invoqué dans la même note se contente de situer le *gazophylacium* ou *corban* à proximité du *diaconicon*, et de préciser qu'il est affecté à la garde du mobilier sacré et à la réception des dons des fidèles, ce qui ferait plutôt penser à un local, ou à un coffre muni d'une bonne fermeture.

Il faudra donc se garder de justifier une interprétation par un renvoi à une publication antérieure, elle-même tributaire de précédentes, si en bout de chaîne on ne trouve qu'une supposition, intelligente certes, mais non prouvée. Autant alors examiner les vraisemblances soi-même. Voici ce qui me paraît probable.

Sans que les textes imposent de reconnaître une totale coïncidence, il apparaît que *corban* et *gazophylacium* sont souvent utilisés de manière équivalente dans les écrits chrétiens et juifs des premiers siècles de notre ère. D'autre part, selon les travaux de l'École de Nimègue, dans le vocabulaire latin chrétien, « les emprunts désignent presque exclusivement des institutions et des 'choses' concrètes de la vie et de l'idéologie des chrétiens. Ce sont des 'choses' nouvelles introduites par le christianisme et adoptées avec

---

1. Ce texte dérivé de la *Tradition apostolique* d'Hippolyte, mais compilé plus tard (Ve siècle ?), ne survit que dans une version syriaque et a été édité en 1899 par E. Rahmani, avec une traduction latine qu'a utilisée ici E. Dekkers.

leurs noms grecs mêmes » (MOHRMANN 1958, p. 89). *Corban*, mot qui vient de l'hébreu mais qui n'est parvenu dans la langue latine que par des textes grecs, fait partie de cette catégorie. Il a donc toutes les chances de désigner non l'idée abstraite d'offrande à Dieu mais une réalité matériellement visible et maniable.

La phrase de Cyprien – littéralement : « Tu t'imagines célébrer le culte du Seigneur, toi qui ne jettes aucun regard en arrière sur le *corban*, toi qui viens au culte du Seigneur sans sacrifice et qui prends ta part du sacrifice qu'a offert le pauvre » – fait donc penser à un lieu (un objet ?) situé sur le chemin des fidèles qui entrent[1] pour la célébration eucharistique, et où seraient rassemblés et exposés à la fois les dons pour les pauvres et le pain et le vin apportés pour le sacrifice, les pauvres eux-mêmes participant, si modeste que soit leur contribution, à cet apport[2]. Ceci semble plus probable que le local muni d'une fermeture suggéré par le passage du *Testamentum Domini* dont il était question plus haut, sans que d'ailleurs les deux valeurs du mot s'excluent nécessairement, car les dons pour les pauvres rassemblés dans ou sur le *corban* de la célébration peuvent fort bien être transportés à la fin de celle-ci dans un *corban-gazophylacium* gardé (tel est le sens du radical grec *-phylac-*) par une bonne serrure. Le *corban* de la célébration serait-il une grande corbeille ? Rien ne l'exclut, rien ne le dit.

Une autre hypothèse, moins probable, serait que *corban* désigne les pauvres eux-mêmes rassemblés à l'entrée de l'assemblée chrétienne pour y recevoir directement des dons des fidèles. Une telle assimilation du groupe des pauvres au *corban* n'est pas absolument à exclure. On sait que la tradition concernant le diacre Laurent, martyrisé à Rome quelques semaines avant que Cyprien le fût à Carthage, rapporte que sommé de livrer le trésor de l'Église

---

1. Le texte de Justin que nous citons dans l'Introduction (p. 54, n. 2) place au contraire la collecte des dons pour les pauvres à la fin de la réunion eucharistique dominicale. Le détail des usages peut avoir été différent à Rome et à Carthage, ou avoir évolué de 150 à 250.

2. Ou bien faut-il penser que, pour que le pauvre « offre » le sacrifice (*partem de sacrificio quod pauper obtulit sumis*, écrit Cyprien), il suffit qu'il se présente devant Dieu dans l'humilité de son indigence ? L'allusion, qui suit aussitôt, à la veuve qui, dans l'Évangile, met deux piécettes dans le trésor du Temple, oriente plutôt vers une participation matérielle minime, mais réelle.

romaine – on savait qu'il administrait les biens de la communauté –, il ait montré aux commissaires du pouvoir impérial la foule des pauvres secourus[1]. Quoi qu'il en soit de l'exactitude historique de l'épisode, ce récit témoigne d'un état d'esprit : les pauvres peuvent être considérés comme le trésor de l'Église.

Le fait que *corban* est un mot transcrit tel quel du grec des évangiles nous fait cependant préférer l'interprétation plus concrète et institutionnelle que nous avons proposée d'abord, même si des détails (une corbeille ou autre chose ?) nous échappent.

12
Les temps des verbes au subjonctif
dans les propositions subordonnées (ch. 15, l. 26)

Dans la dernière phrase du ch. 15 nos manuscrits donnent pour les deux tiers *posset*, accepté par M. Simonetti, les autres *possit*, préféré par Hartel. On sait qu'à l'époque où les plus anciens manuscrits ont été copiés la prononciation courante ne distinguait plus les deux formes. Le *Parisinus 10592 (S)*, que l'on fait remonter au VIe-VIIe siècle, et qui a ici *posset*, donne au ch. 10 de notre traité *clamat et dicet* au lieu de *clamat et dicit,* au ch. 11 *et tu metues* au lieu de *et tu metuis,* etc. Au ch. 18 le *Taurinensis GV 37 (F)* – Ve siècle selon Simonetti, peut-être VIe s'il faut être prudent – écrit *quibus possint peccata tergeri*, contre l'ensemble de la tradition qui a *possent* (sauf G : *possunt*).

Il a donc semblé utile d'examiner dans tout le traité la manière dont notre auteur respecte ou ne respecte pas les règles classiques de la concordance des temps dans les subordonnées subjonctives, autrement dit s'il a toujours fait répondre un subjonctif présent ou parfait à une principale présente ou future, un subjonctif imparfait ou plus-que-parfait à une principale passée. Sur plus de 130 occurrences[2] il ne s'en rencontre que 5 qui posent un problème. On n'a pas considéré en effet qu'au ch. 17, l. 3-5 les formes *fecisset, esset,*

---

1. SAINT AMBROISE a recueilli cette tradition (*De officiis* 2, 140).
2. Le nombre peut varier de quelques unités, le choix entre futur antérieur de l'indicatif et parfait du subjonctif pouvant être discuté ici ou là.

superfuisset présentaient la moindre irrégularité, bien que les verbes principaux, *superuenit et petit*, soient des présents de narration, si du moins *petit* ne trahit pas un ancien *petiit* [1] : ce genre de présent peut être traité comme un passé dans la langue la plus classique. Voici les passages en cause.

En 1, 22 *ut ... abluamus* dépend d'un verbe principal à l'irréel du présent, donc à l'imparfait du subjonctif, ce qui devrait entraîner une concordance du passé selon la bonne règle. Outre que cette règle est avant tout cicéronienne et n'oblige pas strictement un auteur comme Plaute (par exemple *Pseudolus* 4), on peut noter que cet irréel nié (« la faiblesse et l'infirmité ... seraient ici sans ressources, si la bienveillance divine ... n'ouvrait ainsi une voie ») est en réalité l'habile présentation stylistique d'une affirmation positive au présent (« la bienveillance divine ouvre une voie »), et que Cyprien s'est réglé sur ce sens plutôt que sur la forme.

En 2, 18 *qui purgauerit*, dont le verbe principal est *repurgasse*, reste au parfait comme c'est en général le cas dans les relatives originellement à l'indicatif qu'un style indirect ou une attraction fait passer au subjonctif (ERNOUT-THOMAS 1984, § 399, p. 411).

En 6, 4 *liberentur* a pour verbe principal *compertum est*. Ce parfait s'interprète tout naturellement comme un parfait de résultat présent, et c'est ainsi que nous l'avons traduit (« la certitude.. est établie »). La concordance du présent n'a plus rien d'anormal alors (ERNOUT-THOMAS 1984, § 396, p. 409).

En 17, 25 *appareat* exprime une conséquence présente, applicable aux destinataires du traité, se développant à partir d'un événement passé. Il s'agit là d'un cas de discordance courant dès l'âge classique (ERNOUT-THOMAS 1984, § 402, p. 415), même si la présence ici d'une nuance finale rend la discordance plus inattendue.

En 23, 9 *quid iudicaturus sit.. praedixit* est évidemment absolument contraire à la règle classique, d'autant plus que les interrogatives indirectes sont certainement les propositions pour lesquelles la concordance s'applique le plus strictement, et Cyprien lui-même l'a appliquée scrupuleusement quelques lignes plus haut (*quid facere seruos eius oporteret instruxit*). On remarquera cependant que le moment du Jugement se trouve futur non seulement par rapport à l'instant où le Christ l'a annoncé (*praedixit*) mais aussi par

1. Le ms. *e* propose *petiit*, peut-être par une correction.

rapport au présent de l'écrivain et de son lecteur, ce qui nous a amené à respecter la discordance dans notre traduction (« il a signifié d'avance ce que sera – et non pas : serait – son jugement »).

De ces remarques se dégagent deux conclusions. 1) Aucune des « irrégularités » constatées ne demeure sans justification possible, en tout cas sans explication. Sur ce point particulier, la syntaxe de Cyprien n'est pas devenue une syntaxe confuse, dans laquelle la règle et son contraire alterneraient de manière aléatoire. Mieux : en deux endroits au moins, dans les ch. 17 et 23, l'irrégularité choisie permet de réintroduire, à partir de considérations concernant le passé, le temps présent de l'écrivain et surtout de ses auditeurs et lecteurs, ainsi plus directement impliqués. L'irrégularité est utilisée comme moyen littéraire de plus grande efficacité pastorale. Cyprien est maître de son instrument. ~ 2) Aucune des « irrégularités » constatées ne substitue un imparfait ou plus-que-parfait à un présent ou parfait attendu. La liberté de l'écrivain ne joue que dans un sens.

Ces deux conclusions nous amènent à juger tout à fait invraisemblable que Cyprien ait pu écrire en 15, 26 *posset* là où le sens et la règle imposaient *possit*[1]. *Posset* impliquerait que ce verbe dépendît de *misisse* et non de *significat*, ce qui mettrait au compte de la veuve une intention pédagogique qui appartient manifestement au Christ. Mais il se peut que la présence de ce parfait *misisse* ait favorisé la confusion, y compris dans les témoins les plus anciens, *V*, *F* et *S*, que malgré Simonetti nous ne pouvons nous résoudre à suivre ici.

A titre de vérification, on a examiné les quelque 160 subjonctifs subordonnés de l'*Ad Demetrianum*, parmi lesquels on a relevé 6 « irrégularités », dont 4 appelleraient des remarques tout à fait analogues à celles qui viennent d'être faites. On peut s'arrêter un peu plus longuement sur *procederet* au ch. 4, puisque pour une fois un imparfait du subjonctif dissonne avec une principale au présent. Mais il s'agit d'une concessive, type de subordonnée dans laquelle

---

1. Dans son livre sur la syntaxe des traités de Cyprien, P. Merkx relève six exceptions à ce type de concordance dans des complétives de valeur « finale », lui aussi uniquement dans le sens inverse : présent au lieu de l'imparfait attendu, et dans des circonstances particulières qui, sans justifier totalement l'anomalie, l'expliquent au moins aussi bien que dans le cas d'un texte controversé de CÉSAR : *BC* 3, 20, 5 (MERKX 1939, p. 84).

le temps réel prend le pas le cas échéant sur la cohérence de la concordance : *cum olim ultra octingentos et nongentos annos uita hominum longaeua procederet, uix nunc (potest) ad centenarium numerum peruenire*. A l'indicatif, on aurait *quamquam.. procedebat*, et Cicéron écrit de même dans une relative concessive (*Att.* 1, 13, 3) : *nosmet ipsi, qui Lycurgei a principio fuissemus, cottidie demitigamur, a principio* soulignant la nécessité de la discordance, comme *olim* chez Cyprien.

Le dernier cas litigieux est curieusement un *possit*, à la fin du ch. 10, que M. Simonetti a choisi, contre *V* et *S* cette fois (ils donnent *possent*), alors que l'infinitif parfait qui joue le rôle de principale, *derelictos esse*, se réfère à une expérience récente certes, mais passée. Faut-il vraiment adopter systématiquement, à titre de *lectio difficilior*, le texte le plus contestable grammaticalement, comme semble l'avoir décidé M. Simonetti ? Je n'en suis pas du tout persuadé.

13
typum Christi gerens (ch. 17, l. 13-14)

Les personnages ou les événements de l'Ancien Testament préfigurent le Christ et ce qu'il est venu accomplir, constituant ainsi ce que Pascal bien plus tard appellera des « figuratifs » ; pour le chrétien le sens plénier de la Bible juive se révèle dans le Nouveau Testament. L'origine de cette interprétation de l'Ancien Testament est à chercher en premier lieu chez saint Paul, en 1 Co 10, 6 (cité d'ailleurs par Cyprien dans la *Lettre* 69, 15, 1, où sa Bible traduit ... τύπος par *figura*). Dans ce texte, le passage de la Mer Rouge et les vicissitudes de la vie du peuple juif dans le désert sous la conduite de Moïse sont présentés comme des figures (τύποι) du baptême et de la vie sous la conduite du Christ, y compris les tentations auxquelles il faut résister : « Ces événements se sont produits à titre de figures de ce qui nous concerne (littéralement : "de nous") », écrit saint Paul en 1 Co 10, 6 (Ταῦτα δὲ τύποι ἡμῶν ἐγενήθησαν, ce que la Vulgate traduit par *Haec autem in figura facta sunt nostri*). Une conception typologique des rapports entre les deux Testaments est, on le sait, un des éléments les plus importants de l'exégèse d'Origène.

Cyprien transcrit ici *typus* d'après le grec, sans recourir au latin *figura*. Il fait de même dans le *De dominica oratione* 5, 61 : *Anna in primo Regnorum libro ecclesiae* typum *portans*, et à cinq reprises dans le ch. 20 du premier livre *Ad Quirinum*. Dans la correspondance, *typus* apparaît cinq fois, toujours avec cette même valeur : *Ep.* 63, 3 ; 63, 4, 1 *(Quod ... Melchisedech* typum *Christi portaret)* ; 63, 5, 1 ; 69, 2, 2 *(arcam Noe* typum *fuisse unius ecclesiae)* ; 69, 4, 1 *(Raab quae ipsa quoque* typum *portabat ecclesiae)*. On peut noter la relative fréquence de l'expression *typum portare (gerere)* et la variété des « types » du Christ et de l'Église tirés de l'Ancien Testament.

Mais *figura* est également présent, quoique plus rarement : *De bono patientiae* 10, 175 *(patriarchas et prophetas et iustos omnes qui* figuram *Christi imagine praeeunte portabant)* ; *De ecclesiae catholicae unitate* 8, 208 *(agnus, qui in* figura *Christi occiditur)* ; *Ep.* 63, 3 et 63, 4, 6 (dans les deux cas *typus* se trouve ailleurs dans le même chapitre). On peut noter encore le recours à *praefigurata imago (Ep.* 63, 4, 3) et *praefiguratio (Ep.* 69, 14, 1). Chez TERTULLIEN, *typus* n'apparaît que dans un seul texte *(Idol.* 24, 4), ailleurs il utilise *figura*.

14
L'évocation de l'Église des apôtres au ch. 25 (l. 4-9)

Domicilia tunc et praedia uenundabant et dispensandam pauperibus quantitatem libenter ac largiter apostolis offerebant, terreno patrimonio uendito atque distracto fundos illuc transferentes ubi fructus caperent possessionis aeternae, illic comparantes domos ubi inciperent semper habitare. La première partie de cette phrase suit de près, quoique non littéralement, un passage des *Actes des apôtres* (4, 34-35) : « Personne n'était dans le dénuement parmi eux ; en effet tous ceux qui se trouvaient en possession de fonds de terre ou de maisons les vendaient et apportaient le prix de ce qu'ils cédaient, et ils le déposaient aux pieds des apôtres ; cela était redistribué à chacun selon ses besoins », οὐδὲ γὰρ ἐνδεής τις ἦν ἐν αὐτοῖς· ὅσοι γὰρ κτήτορες χωρίων ἢ οἰκιῶν ὑπῆρχον, πωλοῦντες ἔφερον τὰς τιμὰς τῶν πιπρασκομένων καὶ ἐτίθουν παρὰ τοὺς πόδας τῶν ἀποστόλων. Διεδίδετο δὲ ἑκάστῳ καθότι ἄν τις χρείαν εἶχεν. Nous n'avons pas de texte latin de ces versets dans les œuvres de Cyprien, mais la traduction de la Vulgate est très fidèle au grec : *neque enim quisquam egens erat inter illos ; quotquot enim possessores agrorum aut domorum erant uendentes adferebant pretia eorum quae uendebant et ponebant ante pedes apostolorum. Diuidebantur autem singulis prout cuique opus erat.*

Il est intéressant de reproduire ici en parallèle un passage du *De ecclesiae catholicae unitate* (ch. 26) : *Domos tunc et fundos uenundabant et thesauros sibi in caelo reponentes* (allusion à Mt 6, 20 et parallèles), *distribuenda in usus indigentium pretia apostolis offerebant.*

Les deux textes cyprianiques présentent plusieurs traits communs : dans *domos ... et fundos* aussi bien que dans *domicilia ... et praedia,* l'ordre du texte scripturaire, du moins tel que nous le possédons, est inversé ; Cyprien traduit chaque fois ἔφερον par *offerebant* quand la Vulgate empoie *adferebant* (nous avons probablement là une trace de la traduction africaine) ; là où les *Actes* mentionnaient une distribution à chacun selon ses besoins, Cyprien, inspiré peut-être par la phrase qui ouvrait le v. 34 et comportait ἐνδεής/*egens,* et en accord avec la pratique de son temps, ne nomme que les pauvres, *indigentium* ou *pauperibus* : on est passé d'une vie communautaire à une assistance aux pauvres[1].

---

1. Ce passage est bien perceptible dans un texte de JUSTIN (*I Apol.* 14, 2), où le glissement de sens de εἰς κοινὸν φέροντες à κοινωνοῦντες masque par la parenté étymologique le changement de perspective : χρημάτων καὶ κτημάτων οἱ πόρους παντὸς μᾶλλον στέργοντες, νῦν καὶ ἃ ἔχομεν εἰς κοινὸν φέροντες καὶ παντὶ δεομένῳ κοινωνοῦντες, « nous qui (avant notre conversion) aimions par-dessus tout nous procurer de l'argent et des biens, aujourd'hui nous mettons en commun ce que nous possédons pour le partager avec (littéralement : pour le communiquer à) quiconque est dans le besoin » (trad. A. Wartelle, Paris 1987, *Études Augustiniennes*). La mise en commun n'est plus que la mise en commun de ce qui est nécessaire au soulagement des démunis. ~ Selon G. VISONA 1986 (les textes des *Actes des apôtres* sont examinés plus particulièrement p. 54 s.), on peut déceler au cours des deux premiers siècles chrétiens deux lignes d'interprétation de l'épisode évangélique du « jeune homme riche » et de la communauté des biens dans l'Église apostolique : pour l'une le dépouillement de tout bien terrestre est nécessaire pour le salut, pour l'autre la richesse n'est pas mauvaise en soi, mais un obstacle sur le chemin du salut si on ne la met pas au service des pauvres par une mise en commun des biens disponibles en vue de la charité.

Mais on notera aussi d'une version à l'autre les variations de vocabulaire : *domos/domicilia, fundos/praedia, distribuere/dispensare, indigentes/pauperes*, ce qui fait penser à un travail conscient sur le style, d'autant plus que dans le *De opere* la suite de la même phrase ramène *fundos* et *domos*, mais dans l'ordre inverse !

Deux remarques encore. Le *De opere* ajoute *libenter ac largiter*, sans équivalent direct dans le *De unitate* ; mais celui-ci comportait le mot *largitas* dans la phrase précédente. Enfin l'allusion fort explicite à Mt 6, 20 dans le *De unitate* énonce de manière plus transparente la récompense que le *De opere* développe plus longuement mais se contente de suggérer à mots couverts dans la fin de phrase *fundos illuc transferentes ... semper habitare*. Il est possible que la référence explicite dans un premier texte ait facilité l'allusion enveloppée dans un second. Dans le *De opere*, les « trésors du ciel » sont mentionnés aux ch. 7 et 22.

Ce passage de notre traité est l'objet d'un examen attentif de BORI 1974, p. 77-80. Voir aussi CACITTI 1993, p. 165-166.

15
aequaliter dies luminat, sol radiat : une invitation à imiter Dieu (ch. 25, l. 20)

Ce passage du *De opere* donne lieu à de nombreux rapprochements.

Ad Donatum 14 : *Vt sponte sol radiat, dies luminat, fons rigat, imber inrorat, ita se spiritus caelestis infundit*. En réutilisant pour le *De opere* ce texte antérieur, Cyprien combine la citation textuelle pour deux éléments, mais dans un ordre inversé, et la réécriture condensatrice pour *imber rigat* qui procède de *fons rigat, imber inrorat*. Mais surtout la substitution d'*aequaliter* à *sponte* change la signification des faits constatés, il s'agissait dans *Ad Donatum* de la gratuité des dons de Dieu, il s'agit maintenant de l'égalité de tout le genre humain pour la jouissance des dons de Dieu dans la création. Enfin, rhétoriquement, on n'a plus une simple succession de quatre groupes sujet-verbe à peu près équilibrés, mais une progression puisque d'autres éléments s'ajoutent, d'ampleur croissante en fin de phrase.

Dans *aequaliter.. sol radiat, imber rigat* on peut reconnaître un écho de l'Évangile (Mt 5, 45) : *solem suum oriri facit super bonos et malos et pluit super iustos et iniustos* (texte cité par Cyprien en *Ad Quirinum* 3, 49 et dans *De zelo et liuore* 15). Mais là encore l'accent est déplacé, car il s'agissait dans l'Évangile de la bonté égale de Dieu envers tous sans considérer leurs mérites ou leur hostilité, et non comme ici de son égale libéralité en biens naturels sans distinction entre riches et pauvres.

L'allusion à ce texte évangélique est plus explicite dans le *De bono patientiae* au ch. 4, où il est paraphrasé ainsi : *super bonos et malos aequaliter facit diem nasci et lumen solis oboriri, et cum imbribus terras rigat, nemo a beneficiis eius excluditur quominus iustis similiter et iniustis indiscretas pluuias largiatur* ! On a souligné les mots (ou, dans le cas de *lumen*, un mot apparenté) présents également ici dans le *De opere*. Si l'on ajoute que quelques lignes plus loin dans ce chapitre du *De bono patientiae*, au milieu d'une longue phrase qui reprend et amplifie le même thème à l'aide d'illustrations variées et pour la plupart inspirées d'Ennius à travers Cicéron (MOLAGER 1982, p. 250), l'expression *spirare uentos* apporte un nouvel écho du *De opere*, on aura une idée de l'extrême virtuosité de ce jeu de reprises verbales d'un texte à l'autre autour d'un thème tiré de l'Écriture.

Le rapprochement avec Cicéron, *De officiis* 1, 51, est possible mais s'impose moins. Certes Cicéron y met en relief que la nature a engendré certains biens pour l'usage commun des hommes et qu'il n'est pas légitime d'en priver autrui, et il est bien évident que les rayons du soleil ou l'eau de la pluie en font partie, mais il choisit d'autres exemples pour illustrer la thèse et surtout il justifie l'obligation de respecter cet usage commun par le fait que personne n'en est appauvri, bien loin donc d'en tirer comme feront les auteurs chrétiens une invitation à se dépouiller personnellement de biens dont on est propriétaire.

D'autres rapprochements encore sont suggérés par BORI 1974, p. 78-79 (en particulier dans les notes 76 et 80), autour de l'idée d'*aequitas* ou *aequalitas* divine.

La dernière phrase du ch. 25 complète le rappel de l'*aequitas* de Dieu par une invitation à l'imiter. On est ici bien proche d'un texte de Pontius (*Vita* IX, 8) dans lequel Pellegrino, après Hartel et

Harnack, verrait volontiers une citation d'un sermon prononcé
par Cyprien (PELLEGRINO 1955, p. 134, n.13), mais qui selon
Bastiaensen est plutôt une production personnelle de Pontius à
partir d'échos de plusieurs textes de Cyprien (BASTIAENSEN 1975,
p.2 61-262) : « (le Seigneur) ne cesse jamais de faire lever son soleil,
et là-dessus il distribue les pluies pour abreuver ce qui a été semé,
sans réserver tout cela à ses seuls fidèles ; et celui qui de son côté
fait profession d'être fils de Dieu n'imiterait pas l'exemple de son
Père ? », *Oriri facit iugiter suum solem et pluuias subinde nutrien-
dis seminibus impertit, exhibens cuncta ista non suis tantum ; et qui
se Dei etiam filium esse profitetur, non exemplum patris imitetur ?*

On remarquera cependant *non suis tantum* : Pontius commente
ici l'attitude de Cyprien qui, pendant la peste, n'a pas limité sa charité et a exhorté à porter aide aux païens aussi, alors que le texte
du *De opere* demande seulement qu'on partage « avec l'ensemble
des frères ». Le *De opere* se réfère à des circonstances ordinaires,
où la communauté chrétienne secourt ses indigents ; chez Pontius,
il s'agit de répondre à une situation exceptionnelle, où païens et
chrétiens se retrouvent jetés dans une commune détresse. Ceci
nous invite à ne pas établir un lien trop étroit entre les misères dues
à la peste et le *De opere et eleemosynis*.

Le thème de l'imitation de Dieu, tant dans la philosophie
antique que chez les Pères, a été étudié par MERKI 1952. Autres
indications bibliographiques dans DELÉANI 1979, p. 69, n. 295. On
se contentera ici de deux textes du second siècle, où il s'agit précisément d'imiter la bonté de Dieu pour les hommes.

Dans sa *Première apologie* (10, 1), Justin écrit peu après 150 :
Ἐκείνους δὲ προσδέχεσθαι αὐτὸν μόνον δεδιδάγμεθα καὶ
πεπείσμεθα καὶ πιστεύομεν, τοὺς τὰ προσόντα αὐτῷ μιμουμέ-
νους, σωφροσύνην καὶ δικαιοσύνην καὶ φιλανθρωπίαν καὶ ὅσα
οἰκεῖα θεῷ ἐστι, « Nous avons appris, nous sommes convaincus
et nous croyons fermement que seuls trouvent grâce devant lui
ceux qui s'efforcent d'imiter les perfections de sa nature, sagesse,
justice, amour des hommes, enfin tout ce qui appartient en propre
à Dieu » (trad. WARTELLE 1987).

Et nous lisons dans *A Diognète* (10, 6), texte de la fin du
IIᵉ siècle, dans un passage où il s'agit de l'imitation de Dieu par la
bienfaisance et l'aumône : Ἀλλ' ὅστις τὸ τοῦ πλησίον ἀναδέχεται
βάρος, ὃς ἐν ᾧ κρείσσων ἐστὶν ἕτερον τὸν ἐλαττούμενον εὐεργε-

τεῖν ἐθέλει, ὃς ἃ παρὰ τοῦ θεοῦ λαβὼν ἔχει ταῦτα τοῖς ἐπιδεο-
μένοις χορηγῶν θεὸς γίνεται τῶν λαμβανόντων, οὗτος μίμητής
ἐστι θεοῦ, « Mais celui qui prend sur soi le fardeau de son pro-
chain et qui, dans le domaine où il a quelque supériorité, veut en
faire bénéficier un autre moins fortuné, celui qui donne libérale-
ment à ceux qui en ont besoin les biens qu'il détient pour les avoir
reçus de Dieu, devenant ainsi un dieu pour ceux qui les reçoivent,
celui-là est un imitateur de Dieu » (trad. H.-I. Marrou, SC 33 bis).

16
Dei munus (ch. 26, l. 17)

La pratique de la bienfaisance est-elle ici un don venu de Dieu
(*Dei* génitif subjectif) ou une offrande à Dieu (*Dei* génitif objectif,
comme à la fin du ch. 15 *dona Dei*) ? En doctrine, elle est l'un et
l'autre selon Cyprien : don fait par Dieu à l'homme pour le rachat
des péchés commis après le baptême d'après les premiers chapitres
(ainsi *diuinae indulgentiae salubre munus* au début du ch. 3), et
d'autre part offrande faite à Dieu, assimilable à un acte de culte
(début du ch. 15, et surtout ch. 21 et 22, où *munus* revient sans
cesse avec cette valeur), don au Christ en la personne des pauvres
(ch. 23).

Traduire oblige à trancher : ou bien « une authentique prestation offerte à Dieu, éminente entre toutes », ou bien « un authentique cadeau que nous fait Dieu, et des plus considérables ». Quelle
traduction sert le mieux la cohérence de la phrase ? Le début de
celle-ci n'est pas en cause, car tout y qualifie directement l'*operatio*, sans qu'interfère l'interprétation qu'on va donner de *munus*.
Toute la fin, au contraire, est une expansion de *munus* : c'est le
munus, et non l'*operatio*, qui est dit *necessarium et gloriosum*, et
qui est l'antécédent de *quo*. L'une des deux traductions crée-t-elle
ici une difficulté ?

Infirmis necessarium : offrande à Dieu ou cadeau de Dieu, le
Dei munus est de toute manière indispensable au salut des faibles,
qu'ils l'accomplissent dans un cas ou le reçoivent dans l'autre. Ce
n'est pas ici que se fera la décision. Mais voyons les forts, ceux en
qui la grâce du baptême est demeurée vigoureuse et qui résistent
aux tentations du mal : si l'*operatio* est source de gloire pour eux,

c'est bien en tant qu'elle est offrande à Dieu, culte rendu à Dieu dans ses pauvres, prestation d'autant plus glorieuse qu'elle est gratuite et ne répond pas à un besoin immédiat de racheter des fautes graves ; ce n'est pas en tant qu'elle est un cadeau fait par Dieu aux pécheurs pour leur salut : qu'y a-t-il de glorieux pour les forts de ce côté ?

Quant à la relative qui suit, dire que grâce au cadeau reçu de Dieu le chrétien compte celui-ci pour son débiteur, et non pour son créancier comme la logique ordinaire l'aurait voulu, c'est là certes un stimulant paradoxe qu'il n'est pas impossible de justifier, mais c'est raffiner beaucoup, là où il est si simple de dire, conformément à des thèmes déjà bien installés dans le traité, que grâce à l'offrande faite à Dieu dans l'aumône le chrétien se crée des titres auprès du Christ et compte désormais Dieu pour son débiteur. A cause de *quo ... adiutus ... Deum computat debitorem*, et plus encore de *fortibus gloriosum*, l'interprétation objective du génitif s'avère préférable.

Dans GORCE 1958 et REBENACK 1962, la traduction repose sur l'interprétation subjective, sans que l'auteur s'en explique ; dans TOSO 1980, « un dono vero e grandissimo » suppose un texte dont *Dei* serait absent (ce que rien dans la tradition manuscrite ne justifie), à moins que le traducteur ne l'ait consciemment supprimé pour maintenir l'ambivalence de l'expression.

17
Couronnes pourpres et couronnes blanches : le martyre et les autres formes de la fidélité chrétienne (ch. 26)

Pour exhorter à la joie et à la persévérance les chrétiens qui, comme les martyrs, avaient confessé leur foi devant les autorités persécutrices, mais n'avaient pas eu à verser leur sang, Cyprien écrivait déjà (*Ep.* 10, 5, 2) : *O beatam ecclesiam nostram ... Erat ante in operibus fratrum candida, nunc facta est in martyrum cruore purpurea. Floribus eius nec lilia nec rosae desunt. Certent nunc singuli ad utriusque honoris amplissimam dignitatem. Accipiant coronas uel de opere candidas uel de passione purpureas*, « Heureuse notre Église ... Auparavant la conduite des frères la parait de la blancheur de l'innocence ; aujourd'hui, le sang des martyrs la revêt de pourpre. Ni les lys ni les roses ne lui manquent. Qu'à l'envi maintenant chacun s'efforce d'atteindre à la plus éminente dignité de ces deux états honorables ; que chacun reçoive des couronnes, ou blanches pour ses bonnes œuvres, ou rouges pour ses souffrances » (trad. Bayard). En *De lapsis* 2, 18 les confesseurs, que la paix a en quelque sorte renvoyés à la vie ordinaire sans entamer leur gloire, sont appelés « blanche cohorte des soldats du Christ », *militum Christi cohors candida*.

Même thème, mais sans la mention des couleurs pourpre ou blanche des couronnes, dans *De zelo et liuore* 16, 299-302 : *Non enim christiani hominis corona una est quae tempore persecutionis accipitur. Habet et pax coronas suas, quibus de uaria et multiplici congressione uictores prostrato et subacto aduersario coronamur*, « Car au chrétien n'est pas réservée une seule couronne, celle qui se reçoit au temps de la persécution. La paix aussi a des couronnes qui lui sont propres, qui viennent nous couronner au sortir d'un combat divers et multiple où nous avons terrassé et soumis l'Adversaire ». Et Cyprien énumère alors les couronnes et les palmes qui récompensent le triomphe remporté sur chaque vice grâce à chaque vertu.

Ces textes, comme la dernière phrase du *De opere et eleemosynis*, invitent à établir un parallèle entre le martyre d'une part, la fidélité chrétienne se manifestant dans la conduite quotidienne et en particulier la bienfaisance d'autre part. *Habet et pax coronas suas*, écrit Cyprien dans le *De zelo et liuore*, « La paix aussi a ses couronnes ». Cet « aussi » semble indiquer que la couronne est fondamentalement l'apanage des martyrs, et secondairement seulement attribuable aux chrétiens restés fermes sur la voie du salut jusqu'au dernier jour de leur vie ordinaire. La vie bonne et bienfaisante serait-elle un substitut offert à ceux à qui n'ont pas été octroyées la grâce et la gloire du martyre ? « Cyprien a élaboré une véritable spiritualité du 'martyre continué'. Grâce à lui s'est répandu l'idéal de l'ascèse substitut du martyre, idéal qui devait prévaloir au commencement du siècle suivant, avec la paix de l'Église (...) Cyprien passe aisément de la notion de martyre à celle d'obéissance aux commandements (...) Cyprien fait donc entrer l'aumône, prescrite par le Seigneur, dans la catégorie du martyre » (DELÉANI 1979, p. 95 et 97).

Il est bien vrai qu'à l'époque de Cyprien, c'est à propos des martyrs que l'on recourt le plus couramment au nom *corona* et au verbe *coronare*. Sa correspondance l'atteste constamment. L'usage des mêmes mots pour une fidélité non sanglante paraît dès lors second. Il ne faudrait pourtant pas que nous poussions trop loin la portée de ces remarques. L'usage chrétien de la métaphore de la couronne pour désigner la récompense promise au chrétien fidèle dérive du texte de Paul (1 Co 9, 25) : « Tous les athlètes s'imposent une ascèse rigoureuse ; eux, c'est pour une couronne périssable, nous, pour une couronne impérissable. » Il s'agit dans l'épître d'être fidèles aux exigences de la régénération chrétienne, il n'est pas encore question de martyre. Le moment venu, l'application au martyre de cette métaphore sportive (par exemple dans l'*Apocalypse*, en 2, 10) apparaîtra d'autant plus naturelle que la « victoire » des martyrs a souvent été consommée dans l'arène des amphithéâtres, mais cette spécialisation n'a été ni primitive ni exclusive.

Dans le *De opere et eleemosynis* à tout le moins, et dans son dernier chapitre en particulier, Cyprien ne donne pas l'impression de vouloir subordonner la gloire du bienfaisant à celle du martyr, il l'exalte longuement pour elle-même. La bienfaisance n'est pas un « ersatz » de martyre. On est plutôt tenté de dire que, la gloire du martyre étant pour les chrétiens de cette génération évidente et reconnue, tout est fait ici, par l'enthousiasme du ton, par le choix du vocabulaire (*corona*, mais aussi *palma*), par la démonstration qu'est nécessaire dans les deux cas un même renoncement à tout ce qui nous alourdit, tout est fait pour hausser la bienfaisance jusqu'au niveau du martyre, et aboutir à une dernière phrase qui les établit en strict parallélisme.

Cyprien, qui avait eu à déplorer les initiatives intempestives de certains martyrs et l'arrogance de certains confesseurs (*Ep.* 23 ; 27, 1, 2), prend toujours bien soin de placer la confession courageuse de la foi dans le cadre de la soumission à Dieu, à son Évangile, à ses commandements (*Ep.* 28, 2, 3 ; *De ecclesiae catholicae unitate* 21). Le dépouillement par la bienfaisance et l'aumône est une autre forme de cette soumission, et se trouve de même façon « couronné » par la vie éternelle.

INDEX

I. INDEX SCRIPTURAIRE

L'astérisque * placé devant la référence au chapitre du *De opere* signale une allusion.

Les signes placés entre parenthèses après la référence indiquent si le texte biblique est présent dans le florilège *Ad Quirinum* (édition du *CCL*) :

(–) = le texte est absent ;
(+) = le texte *alludé* est présent ;
(++) = la *citation* du *De opere* coïncide exactement avec celle de l'*Ad Quirinum* (texte du *CCL*) ;
(+~) = les textes édités de la *citation* ne coïncident pas exactement, mais la lecture des apparats permet de ne pas exclure la coïncidence ;
(+-) = pour au moins un mot les textes de la *citation* ne coïncident pas.

II. INDEX GRAMMATICAL

Les références se lisent ainsi :
68, 5   page 68, note 5
173 (8)   note complémentaire 8, pages 173 et suivantes.

III. INDEX RERVM VEL VERBORVM NOTABILIVM

En raison de l'existence de la remarquable *Concordance* de tous les traités de Cyprien procurée par les chercheurs de l'Université de Caen (*Cyprien, traités : concordance, documentation lexicale et grammaticale,* éd. P. Bouet, Ph. Fleury, A. Goulon, M. Zuinghedau, avec la collaboration de P. Dufraigne, 2 vol., 1986, Hildesheim-Zurich-New York), il aurait été de peu de profit de présenter ici un index complet des mots latins du *De opere et eleemosynis.* L'index qui suit présente uniquement les mots qui ont été l'objet d'un commentaire dans ce volume.

Les références se lisent ainsi :

46-47   pages 46-47
73, 4   page 73, note 4
188 (15)   note complémentaire 15, pages 188 et suivantes.

TABLE DES MATIÈRES

SOURCES CHRÉTIENNES

Fondateurs : † H. de Lubac, s.j.
† J. Daniélou, s.j.
† C. Mondésert, s.j.
Directeur : D. Bertrand, s.j.
Directeur de la Collection : J.-N. Guinot

Dans la liste qui suit, dite « liste alphabétique », tous les ouvrages sont rangés par nom d'auteur ancien, les numéros précisant pour chacun l'ordre de parution depuis le début de la collection. Pour une information plus complète, on peut se procurer au secrétariat de « Sources Chrétiennes », 29, rue du Plat, 69002 Lyon (France), Tél. : 04.72.77.73.50, deux autres listes :

1. la « liste numérique », qui présente les volumes et leurs auteurs actuels d'après les dates de publication ; elle indique les réimpressions et les ouvrages momentanément épuisés ou dont la réédition est préparée.
2. la « liste thématique », qui présente les volumes d'après les centres d'intérêt et les genres littéraires : exégèse, dogme, histoire, correspondance, apologétique, etc.

LISTE ALPHABÉTIQUE (1-440)

SOUS PRESSE

PROCHAINES PUBLICATIONS

RÉIMPRESSIONS PRÉVUES EN 1999

Également aux Éditions du Cerf

LES ŒUVRES DE PHILON D'ALEXANDRIE
publiées sous la direction de
R. ARNALDEZ, C. MONDÉSERT, J. POUILLOUX.
Texte original et traduction française.

COMPOGRAVURE
IMPRESSION, BROCHAGE
IMPRIMERIE CHIRAT
42540 ST-JUST-LA-PENDUE
FÉVRIER 1999
DÉPÔT LÉGAL 1999 N° 5637
N° EDITEUR : 11080

IMPRIMÉ EN FRANCE

DATE DUE

			Printed in USA